JEAN-PAUL II
LE VATICAN
LA PAPAUTÉ

© Éditions Philippe Auzou, 1997
© INDEC *multimédia*, 1997
Direction éditorial : Joël Van der Elst
Réalisation : Atelier d'édition européen, Paris
Maquette : Anna Klykova
Documentation, légendes et recherche iconographique : Laurence Balan

Dépôt légal février 1997
Imprimé en Espagne par Arrecife, S. L.
ISBN 2-7338-0345-X
Dépôt légal: 8.554-1997

JEAN-PAUL II

LE VATICAN
LA PAPAUTÉ

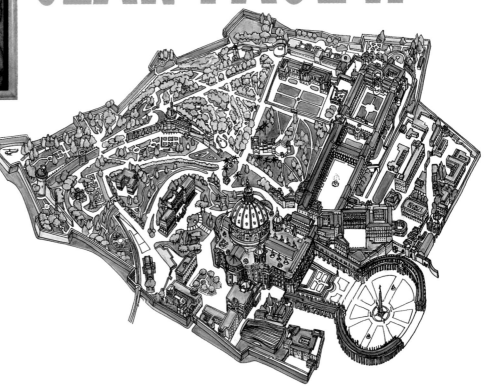

Auzou

TOTUS TUUS

L e pape Jean-Paul II est une personnalité majeure de cette fin du XXᵉ siècle. Par le charisme qu'il dégage auprès de centaines de millions de catholiques, mais aussi, par l'énergie qu'il déploie bien au-delà de la communauté des catholiques, pour porter au plus loin et au plus profond de nos sociétés la parole du Christ, et par son langage direct et son écoute attentive, Jean-Paul II est une personnalité qui ne laisse personne indifférent. Premier souverain pontife polonais de l'histoire et premier pape non italien depuis plusieurs siècles, Karol Wojtyla est un homme dont on sait peu de choses, même si aucun jour ne passe sans que des dizaines d'articles ne paraissent à son sujet dans la presse internationale. C'est son itinéraire que nous allons vous présenter dans ce court ouvrage richement illustré.

En lisant cette biographie, vous suivrez pas à pas un homme que rien ne destinait plus particulièrement à occuper le trône de saint Pierre, un prince de l'Église comme des centaines d'autres de par le monde, rien sinon un courage exceptionnel, une grande intelligence et une profonde humanité.

Occuper la fonction papale, c'est non seulement délivrer quotidiennement une parole d'essence divine, mais c'est aussi gérer un État reconnu internationalement, l'État de la cité du Vatican, et c'est vivre dans un des cadres historiques les plus grandioses de la planète, Rome. C'est au bord du Tibre, non loin du centre historique de la ville éternelle, héritière d'une des plus importantes œuvres collectives, l'Empire romain, sur les fondements duquel nos civilisations occidentales reposent en partie, que le pape vit, réfléchit et prie.

C'est tout cela que l'on retrouvera au fil des pages qui suivent, l'itinéraire d'un simple prêtre de Pologne devenu chef de l'Église catholique en plein XXᵉ siècle, mais aussi un voyage dans le temps avec l'histoire de ses 263 prédécesseurs, tour à tour ou en même temps, martyrs, diplomates, théologiens ou mécènes, et un pèlerinage sur des lieux magnifiés par la volonté d'exploiter le meilleur de la production humaine pour célébrer la gloire de Jésus-Christ.

Page quatre. La garde vaticane avec ses uniformes chamarrés donne une solennité qui défie les âges, à toutes les manifestations officielles. Elle témoigne d'un temps révolu où la papauté devait parfois se défendre avec des arguments autres que ceux de la foi.

Ci-contre. Lors du rituel de l'année sainte ou jubilé – fêtée tous les 25 ans d'ordinaire–, le souverain pontife procède à l'ouverture et à la fermeture de la porte sainte de Saint-Pierre du Vatican. Ce fut le cas en 1983, lors de l'année sainte extraordinaire.

UNE ÉLECTION
QUI STUPÉFIE LE MONDE

I l est 18 h 40 en ce 16 octobre 1978, lorsqu'une certaine fébrilité gagne les fidèles assemblés place Saint-Pierre, les yeux rivés sur la façade de la basilique. Les pèlerins ou simples touristes placés le plus près du bâtiment ont remarqué une certaine agitation au niveau du premier étage, derrière les grandes fenêtres. Tout à coup apparaît un cardinal au balcon. Les premières clameurs montent de la foule. Simultanément, dans le ciel, une fumée blanche s'élève au-dessus du toit. Du haut du balcon, le cardinal Pericle Felici lance la formule traditionnelle : *«Habemus Papam!»* («Nous avons un pape»), puis, prolongeant l'attente, hésite quelque peu et ajoute «*Son Éminence révérendissime Mgr Carolum,... cardinal de la Sainte Église romaine, Wojtyla*».

Les radioreporters et les téléscripteurs du monde entier répercutent l'incroyable nouvelle : l'élection sur le trône de saint Pierre d'un cardinal peu connu et qui plus est non italien, un certain Karol Wojtyla, archevêque de Cracovie, âgé de cinquante-huit ans.

Surprise et stupéfaction

À la surprise s'ajoute la stupéfaction. Le nouveau pape non seulement n'est pas italien, mais en plus, il est originaire d'Europe de l'Est. De Pologne, plus précisément. En portant leurs suffrages sur un homme dont l'expérience pastorale s'est forgée dans une société où l'État a pour fondement l'athéisme, les cardinaux n'ont pas simplement procédé à une grande réforme mais bien à une véritable révolution des mentalités. À leur manière, ils viennent de boule-

Chef de l'Église, le pape est le protecteur et le guide d'une communauté qui compte environ un milliard de fidèles répartis sur les cinq continents.

Jean-Paul II, bénissant la foule, revêtu de la mitre blanche et d'une soutane verte, symbole de l'espérance. Il porte dans sa main gauche la crosse épiscopale. Le premier des évêques catholiques est aussi l'évêque de Rome et des Romains.

verser l'équilibre géopolitique et intellectuel du monde issu de la guerre froide.

Cette nomination réjouit autant qu'elle étonne les chrétiens meurtris durant l'été 1978 par les décès successifs de Paul VI et de Jean-Paul Ier. Elle constitue une immense surprise pour tous les vaticanologues qu'elle prend de court. Les princes de l'Église n'ont pas hésité à garder la même orientation de choix, celle qui leur avait fait élire en août un nouveau pape aussi atypique que le successeur de Paul VI, l'archevêque de Venise, Albino Luciani. Ce dernier fut le premier à se prénommer Jean-Paul

LE DERNIER PAPE NON ITALIEN

Depuis plus de cinq siècles, seuls des prélats italiens s'étaient succédé à la tête des États de l'Église. Le dernier non italien étant un Hollandais, Adriaan Florensz, élu le 9 janvier 1522 sous le nom d'Adrien VI. En dépit de la courte durée de son pontificat (vingt mois, car il est mort en septembre 1523), il a su marquer sa fonction en étant le premier pape à admettre la nécessité d'une réforme, alors que les critiques de Luther et le début de la crise protestante commençaient seulement à se manifester.

afin de s'inscrire dans la continuité de ses deux prédécesseurs immédiats, Jean XXIII et Paul VI.

Le cardinal Felici peut alors annoncer que l'archevêque de Cracovie a choisi de se faire appeler Jean-Paul II, soulignant lui aussi l'impérieux besoin de montrer la continuité de l'œuvre de l'Église. Cette référence au cardinal Luciani dont le sourire radieux avait illuminé tant de fidèles et inquiété de nombreux membres de la Curie romaine durant son court pontificat, est accueillie avec joie et ferveur. Il est 19 h 15. Une immense clameur s'élève de l'esplanade de Saint-Pierre pour annoncer la nouvelle à Rome et au monde entier, *urbi et orbi,* comme le dit la formule latine consacrée.

Le pourquoi d'une élection

Mais comment le choix des cardinaux s'est-il porté sur ce prélat qu'aucun des médias, même les plus versés en vaticanologie, n'avait mentionné dans la liste des *papabile,* c'est-à-dire de ces cardinaux qui posséderaient *a priori* l'étoffe d'un pape ? La presse ne manquait pas d'évoquer, parmi les favoris, des prélats italiens appartenant à la Curie romaine, comme le cardinal Benelli, de Milan, ou le cardinal Siri, de Gênes, ou bien quand elle envisageait l'hypothèse de plus en plus admise d'un pape non italien, c'est vers le tiers monde que ses regards se portaient. Dans la continuité du choix qui les conduisit à élire Jean-Paul Ier, les cardinaux ont souhaité un pape qui soit plus un pasteur qu'un homme de dossiers, plus un pèlerin et un témoin de la foi qu'un habile théoricien, plus un réformateur qu'un

POURQUOI JEAN-PAUL ?

Le choix par le nouveau pape de son nom de souverain pontife revêt le plus souvent une fonction symbolique. En choisissant de reprendre celui de son prédécesseur, Jean-Paul II a signifié qu'il voulait inscrire son action dans la continuité de la politique et de l'action menée par les chefs de l'Église depuis plus de vingt ans avec les pontificats de Jean XXIII et de Paul VI. Une continuité dans laquelle s'était déjà inscrit son malheureux prédécesseur Jean-Paul Ier, qui avait choisi de composer son nom en apposant les prénoms des deux grands papes de l'après-guerre (une première historique dans l'histoire de la titulature pontificale : aucun des 262 prédécesseurs du cardinal Luciani n'avait opté pour un nom composé).

révolutionnaire, en un mot un pape qui soit capable de relancer le rayonnement de l'Église.

Aujourd'hui, plus de dix-huit ans après ce jour historique, il semble bien que les princes de l'Église aient non seulement élu celui qu'ils souhaitaient avoir comme chef mais également un véritable homme d'État, un théologien confirmé et ferme sur les principes de la foi et enfin un homme de son temps, dans la mesure où Jean-Paul II a forgé par ses qualités charismatiques une nouvelle image de la fonction papale, n'hésitant pas à utiliser à son profit la puissance nouvelle des médias.

Le choix des cardinaux s'est donc porté sur un homme nouveau formé par l'expérience quotidienne de la pratique religieuse en milieu communiste, sur un enseignant de morale pour un monde qui connaît une transformation brutale des valeurs individuelles et collectives, sur un polyglotte de talent ouvert à tous et à la modernité du monde qui l'entoure, sur un homme de contact et de chaleur, enfin sur un messager de l'amour chrétien, à la fois poète et mystique.

KAROL WOJTYLA

■ Une jeunesse en Pologne entre les deux guerres
■ Un adolescent dans son siècle
■ Contre l'Apocalypse, le recours à Dieu
■ Prêtre et enseignant en régime communiste
■ Cardinal-archevêque de Cracovie
■ L'expérience de Vatican II

C et homme de qualité, qui, en cette année 1978, quitte Cracovie, la plus illustre ville de Pologne, pour occuper le siège de saint Pierre, est né le 18 mai 1920, à Wadowice, au 7 de la rue Koscielna, dans une maison grise, simple et austère. Wadowice, à l'époque, est une ville qui compte une dizaine de milliers d'habitants. Elle est située au sud-ouest de la nouvelle Pologne dans un territoire qui faisait partie auparavant de la Galicie occidentale et qui jouissait depuis la fin du XIXᵉ siècle d'une certaine autonomie au sein de l'Empire austro-hongrois.

Karol Wojtila dans les bras de sa mère, Emilia Kaczorowska, qu'il perdra à l'âge de 9 ans.

Une jeunesse en Pologne entre les deux guerres

Cette province de Galicie est très pauvre et son économie est totalement agricole. Les rudes montagnes des Tatras qui la surplombent forment la frontière avec

Du haut de la tour de la basilique Notre-Dame, à Cracovie, un pompier sonne l'heure tous les jours avec une trompette et prévient également en cas de danger (incendie, guerre,...). En face, la place du marché et la tour de l'ancien hôtel de ville.

*F*açade de la maison natale de Karol Wojtyla, à Wadowice, située au 7 de la rue Koscielna.

il s'occupe exclusivement de son plus jeune fils, Karol. En effet, en 1907, les époux Wojtyla avaient eu un premier fils, prénommé Edward, puis plus tard, avant Karol, une petite fille, qui est morte en bas âge.

Karol Wojtyla est baptisé à l'église Notre-Dame, en juillet 1920. Ses parents vont lui assurer une éducation stricte, très respectueuse des valeurs morales de l'Église. À l'école primaire, il se révèle un garçon équilibré et studieux, particulièrement à l'aise en récitation. Il aime également la géographie et l'histoire, brille en cours de religion et se défend en calcul. Il est également en première ligne quand il faut se dépenser sans compter dans quelque exercice physique que ce soit. Le ballon rond des

la Tchécoslovaquie. Wadowice, traversée par la Skawa, un affluent de la Vistule, est un gros bourg marchand, qui comprend une importante communauté juive, deux mille personnes environ, c'est-à-dire un cinquième de la population. Le père, qui se prénomme également Karol, est militaire. Originaire du village de Czaniec, près d'Andrychow, fils d'un tailleur, Karol senior a choisi le métier des armes et s'est engagé dans les troupes austro-hongroises. Faisant toute sa carrière dans l'infanterie, il atteignit l'âge de la retraite au grade de capitaine. Il décida alors de se consacrer à sa petite famille. À la mort de sa femme, Emilia Kaczorowska, originaire de Silésie, en 1929,

*L*e jeune Karol Wojtyla, alors âgé de deux ans, photographié sur les genoux de son père revêtu de son uniforme d'officier.

footballeurs l'attire et Karol se spécialise au poste de gardien de but où ses qualités physiques font merveille. Il suit ses parents qui participent aux grandes manifestations de dévotion populaire comme, en 1926, au calvaire de Zebrydowska, où chaque année, aux

*M*oment important pour tout jeune catholique,
la première communion. Karol Wojtyla a sept ans.

Garçon très sociable, entouré d'un large cercle d'amis et de camarades, ouvert aux autres en général, Karol Wojtyla ne joue ni les premiers de la classe, ni les hâbleurs de patronage. Après l'école primaire, il fréquente le lycée Marcin-Vadovius où il se lia plus particulièrement à l'un de ses condisciples, Jerzy Kluger, fils du président de la communauté juive de la ville, l'avocat Wilhelm Kluger. Les deux enfants font leurs devoirs ensemble et s'invitent souvent l'un chez l'autre. Très attaché à son père, Karol n'en oublie pas moins les sorties avec les amis et les activités extra- ou parascolaires : il fréquente notamment le club de théâtre de la ville. Il n'est pas le dernier pour participer à des balades dans les forêts des Tatras, à skier l'hiver ou à se baigner l'été dans les eaux froides de la Skawa. Déjà, il montre quelques dons d'animateur.

Faisant partie des meilleurs élèves, il est chargé d'accueillir, en 1938, le prince-cardinal Adam Stefan Sapieha, l'archevêque de Cracovie. Première rencontre avec le destin qui marque aussi bien le jeune Wojtyla que le prélat. Ce dernier ne se doute, évidemment pas que l'adolescent qu'il a devant lui sera un de ses successeurs, mais il discerne tout de même chez celui-ci une intelligence qu'il verrait bien servir grandement les intérêts de l'Église. Il engage le jeune garçon, qui ne jure que par la philosophie et la poésie, à s'inscrire en faculté de théologie dès l'automne suivant.

Pâques catholiques, des hommes et des femmes du village voisin, comme dans de nombreuses autres communautés de par le monde, rejouent dans la vie, la Passion du Christ.

Le premier grand drame que connaît Karol Wojtyla est celui de la mort de sa mère, alors qu'il n'a que neuf ans. Il vit dès lors seul avec son père car son frère aîné a déjà quitté Wadowice pour s'installer à Cracovie où il poursuit ses études de médecine. Karol Wojtyla senior s'occupe exclusivement de la scolarité et de l'éducation de son fils, que tous appellent affectueusement *Lolek*. L'ancien militaire lui montre l'exemple d'une vie réglée et disciplinée par l'étude, l'activité physique et la prière. Il l'emmène à l'église tous les matins, qu'il neige ou qu'il vente, pour faire ses dévotions. Lolek devient vite enfant de chœur.

Un adolescent dans son siècle

En fait, Karol Wojtyla est déjà un homme lorsque les premiers orages avant le cataclysme fondent sur la jeune Pologne. Les drames familiaux qui ont marqué son existence l'ont mûri : en effet, après la mort de sa mère, c'est celle de son frère aîné Edward, en 1938, qui l'affecte encore plus profondément. Ce dernier, devenu médecin à Bielsko-Biala, meurt d'une scarlatine contractée auprès d'une malade. Son père surmonte moins bien que lui cette nouvelle épreuve et tombe dans une profonde dépression. La mort n'a cessé de rôder et de faucher les êtres qu'il a aimés plus que tout : sa femme, son fils aîné, sans oublier une petite fille qui n'a vécu que quelques jours.

Aussi, quand il lui faut quitter Wadowice pour aller étudier à Cracovie, c'est avec son père que Karol Wojtyla s'installe dans un petit appartement de la rue Tyniecka, en dehors de la vieille ville, le long de cette longue artère qui traverse les faubourgs situés au sud-ouest de la ville.

Dès sa première année d'université, il s'inscrit aux cours de philosophie mais aussi à ceux de philologie polonaise. Karol Wojtyla exprime ses sentiments les plus intimes dans des poésies. Il nourrit un lien étroit avec la langue et la littérature polonaises. Il est né alors que son pays recouvrait l'indépendance. S'il n'est ni réceptif aux accents nationalistes des mouvements d'extrême droite nationalistes (il n'est pas du tout antisémite, à la différence de nombre de ses compatriotes) ni leur victime, il se veut Polonais, fils d'une nation humiliée, partagée, parfois pillée, qui aspire au renouveau. Mickiewicz, le célèbre pa-triote et poète du XIXe siècle, est pour lui le plus grand symbole de cette polonité combattante. C'est cette Pologne-là qui connaîtra le fond du gouffre en septembre 1939 sous les coups des troupes nazies. Cinq années d'horreurs vont marquer définitivement le jeune homme. Toutes les raisons qu'il cherchera pour lutter, il les trouvera dans la religion.

Contre l'Apocalypse, le recours à Dieu

Le 1er septembre 1939, les troupes allemandes franchissent l'Oder et enfoncent les lignes de défense polonaises. Karol Wojtyla est alors en train de servir la messe du premier vendredi du mois. En plein office, il entend les premières manifestations insupportables – explosions et vrombissement des Stukas – d'une guerre impitoyable qui durera plus de 68 mois : 68 mois d'occupation cruelle, 68 mois de martyre pour la population polonaise, juive et chrétienne. Le projet de Hitler est clair : il faut supprimer les élites polonaises (il a un allié de poids en Staline qui commanditera le charnier de Katyn où la fine fleur de l'armée polonaise trouvera la mort) ; il faut supprimer les juifs polonais (plus de 90% d'entre eux [3 millions sur 3 250 000], vont trouver une mort effroyable au cours de l'Holocauste).

*T*oute la volonté de Karol Wojtyla est déjà présente dans le regard du jeune collégien qui fixe droit l'objectif.

*L*a place centrale de Cracovie, avec, au premier plan, la statue du poète et patriote polonais Adam Mickiewicz.

Karol Wojtyla

17

Sitôt l'office achevé, Karol quitte la cathédrale et se précipite chez lui rejoindre son père. Les deux hommes prennent immédiatement la route de Lwow, la capitale de la Galicie orientale. Mais avant qu'ils aient pu atteindre Tarnow ou Rzeszow, ils sont, comme des milliers d'autres, rattrapés par l'avance rapide et inévitable des troupes hitlériennes. Voyant que son père ne résistera pas aux efforts qui lui sont demandés, Karol préfère revenir sur ses

pas et retrouver son appartement. Désormais, durant plus de quatre ans, c'est dans une Pologne occupée, soumise à la dictature, à la famine et au froid que Karol Wojtyla tente de survivre.

Les espoirs de continuer à suivre les cours sont vite anéantis : le chef nazi, Hans Frank, gouverneur général décide de fermer l'université Jagellon et fait interner les professeurs dans le camp de concentration de Sachsenhausen. La survie passe désormais impérativement par un emploi, le sésame qui donne droit à une carte de travail et à des tickets de rationnement, sinon... c'est la déportation en Allemagne. Au plus fort de l'hiver, en compagnie d'un de ses amis, Karol Wojtyla trouve un poste de manœuvre dans une carrière, non loin de son domicile, à Zakrzowek. Cet établissement appartenait au grand groupe chimique belge Solvay, qui avait installé non loin des rives de la Wilga, un

La cathédrale de Wawel, à Cracovie, abrite les tombeaux des rois de Pologne. Karol Wojtyla a connu dans ce superbe édifice des moments essentiels de sa carrière ecclésiastique.

affluent de la Vistule, une usine de production de soude. Le travail de Karol consistait à casser des blocs à coups de masse et à transporter les morceaux dans une brouette vers des wagonnets. Jour après jour, le même calvaire est imposé à la nation polonaise. Seuls les plus résistants survivent. Ce n'est pas le cas du père de Karol Wojtyla qui décède le 18 février 1941, laissant son fils orphelin. C'est dans les exercices spirituels et les prières que Karol junior trouve un grand réconfort. Par la simple survie, la résistance peut être individuelle, mais elle peut être aussi collective. Pour le jeune Karol Wojtyla,

À vingt-huit ans, Karol Wojtyla est nommé prêtre dans une petite bourgade rurale, à Niegowic.

cette résistance n'est pas politique, aussi ne rejoint-il aucun mouvement politique. Il n'est ni un homme de la critique en chambre ni de la révolte violente, c'est plutôt un homme de l'action quotidienne.

Pour Wojtyla, l'action sera d'ordre culturel et uniquement placée sous le signe de l'Église. Lutte culturelle, cela veut dire continuer, dans la clandestinité, à faire vivre la culture polonaise à laquelle les nazis ont déclaré la guerre. Karol fréquente deux milieux différents dans lesquels il exprime la richesse de ses potentialités en participant à la résistance. Tout d'abord, cette résistance s'inscrit dans le domaine théâtral, en organisant des représentations clandestines ou en y participant. Il adhère au mouvement de résistance culturelle Unia, qui a l'originalité de se vouloir fondamentalement non violent : chaque membre doit prêter serment de ne lutter contre les nazis que par la parole et les idées. Ce mouvement organise une troupe de théâtre dénommée *Rhapsodie* qui donnera plusieurs dizaines de représentations et qui jouera des classiques polonais, présentés et dits dans un dénuement total.

Le second cercle est catholique. Dès sa première année d'étudiant, Karol Wojtyla a fréquenté l'église des pères salésiens située au-delà des remparts de la vieille ville, au nord, dans le quartier de Piasek. Durant l'occupation, l'activité de prière et d'étude y est maintenue grâce à la forte personnalité d'un modeste tailleur, Jan Tyranowski, qui exercera une énorme influence sur Karol. Devenu pape, il ne l'oubliera pas et le qualifiera d'« apôtre de la grandeur de Dieu, [...] apôtre de l'amour de Dieu ». C'est au cours de ces lectures collectives que le simple et très pieux tailleur lui fera connaître les œuvres du mystique espagnol, saint Jean de la Croix. Fin 1941, Karol Wojtyla est transféré dans un autre établissement du groupe Solvay, à Borek Falecki, situé à deux à trois kilomètres au sud de

Zakrzowek, sur la route qui mène à Bielsko-Biala. Il est employé à l'entretien et au contrôle des procédés de purification de l'eau utilisée dans les chaudières.

Désormais seul, Karol, dans la grande tourmente, ne peut se satisfaire de sa survie quotidienne à travers le travail ou les activités culturelles. La lecture des textes mystiques lui ouvre la voie : il décide d'embrasser la carrière religieuse. Tout en continuant de travailler, il suit les cours du séminaire que le cardinal Sapieha organise le soir clandestinement, dans les sous-sols du château de Wawel, son palais épiscopal. Pendant deux ans, de 1942 à 1944, Karol étudie sous la houlette de celui qui avait déjà reconnu ses dons lors de leur première rencontre quatre ans plus tôt. La vie de clandestin est avare en bons moments : en revanche, elle ne manque pas d'accumuler les instants de frayeur où tout – y compris la mort – est possible. C'est ainsi que le 29 février 1944, en plein hiver, Karol Wojtyla est renversé un soir par un camion. Conduit à l'hôpital par des passants qui l'ont retrouvé inanimé le lendemain matin, il reste hospitalisé douze jours, victime d'une commotion cérébrale. Nouvelle alerte, le 6 avril 1944, un dimanche, Karol Wojtyla échappe par hasard à une rafle de grande ampleur organisée dans les rues de la ville par les Allemands.

Durant tous ces mois de misère totale et de grandes souffrances qui touche le monde entier, les Polonais, dans leur ensemble, font partie des peuples qui ont le plus souffert des exactions nazies, et c'est la communauté juive, à partir de 1941, qui s'est trouvée au premier rang. Quelle a été l'attitude de Karol Wojtyla devant le sort particulier réservé aux juifs ? La famille de Karol Wojtyla n'a jamais partagé l'antisémitisme que manifestait une partie de la population polonaise. Au contraire, Karol a sympathisé avec de nombreux camarades d'école juifs, notamment Jerzy Kluger. À l'université, il s'est lié avec plusieurs condisciples de confession israélite. En revanche, durant la guerre, il ne semble pas avoir entretenu de liens particuliers avec des juifs, trouvant parmi les catholiques ses principaux compagnons d'infortune. Karol Wojtyla considérait de manière égale tous ses compatriotes, qu'ils soient juifs, catholiques ou athées.

SAINT JEAN DE LA CROIX

Né en 1542 à Fontiveros, dans la province d'Avila, Jean de la Croix entre chez les carmes en 1563 et suit des cours de théologie à l'université de Salamanque. Ordonné prêtre en 1567, dès l'année suivante, il se met au service de la carmélite Thérèse d'Avila pour l'aider à réformer l'ordre. Ensemble, ils fondent les carmes déchaux ou déchaussés, nommés ainsi car ces religieux avaient les pieds nus dans leurs sandales. Vicaire d'Andalousie dans les années 1580, saint Jean de la Croix est l'auteur de nombreux poèmes mystiques ainsi que de quatre traités : la *Nuit obscure*, la *Montée du Carmel*, le *Cantique spirituel* et la *Vive flamme d'amour*. Il est mort en 1591.

Le ski est une des passions sportives auxquelles Karol Wojtyla s'est le plus adonné.

Libéré, le pays met au pouvoir une coalition d'union nationale dominée par les communistes. Karol Wojtyla est décidé à poursuivre son objectif de devenir prêtre. Dès la réouverture de l'université Jagellon, il s'inscrit en théologie, poursuivant ainsi les cours suivis dans la clandestinité. Il commence alors sa recherche sur le mystique espagnol saint Jean de la Croix que son mentor Tyranowski lui avait fait découvrir. Après avoir été ordonné prêtre, le 2 novembre 1946,

LE POUVOIR COMMUNISTE ET L'ÉGLISE

Le 17 janvier 1945, la ville de Cracovie est libérée par l'armée Rouge. En mars, c'est l'ensemble du pays qui l'est à son tour. Mais la Pologne est en ruine. De 1945 à 1947, le régime communiste mis en place par les Soviétiques procède à de vastes réformes : les nationalisations se succèdent et la planification fait ses premiers pas. L'opposition libérale, conservatrice ou catholique, perd le référendum de 1946 et les élections législatives de 1947. Puis, au sein du pouvoir communiste, des tensions se font jour. Les dogmatiques l'emportent en août 1948 aux dépens des conciliateurs (arrestation du premier secrétaire W. Gomulka).

Dans ce contexte, il n'est pas étonnant que des relations très contrastées s'instaurent entre l'État communiste et l'Église catholique.

Dans l'immédiat après-guerre, de 1945 à 1947, les relations sont marquées par un respect mutuel. L'Église doit panser ses plaies (5 000 prêtres ont été arrêtés dont 2 000 sont morts en déportation) et le nouveau régime doit prendre la mesure des puissances traditionnelles de la société polonaise. Mais dès 1947, la situation change du tout au tout. L'État décide de mener une politique de terre brûlée et d'éradiquer la puissance de l'Église, en s'en prenant à ses biens matériels et à sa capacité à mener à bien des œuvres sociales : les propriétés des monastères sont confisquées, les revues et les maisons d'édition catholiques sont interdites de publication, les cours d'instruction religieuse sont supprimés des programmes scolaires, les noviciats sont fermés. À côté de ces mesures répressives destinées à interdire à l'Église d'exercer ses prérogatives historiques, le régime tente d'organiser une Église regroupant des «prêtres patriotes». Devant cette offensive sans précédent dans l'histoire du pays, le primat de Pologne, depuis 1948, archevêque de Gniezno et de Varsovie, Stefan Wyszynski, actif dans la résistance polonaise, tente de désamorcer l'offensive de l'adversaire. Tout en restant ferme sur la défense des intérêts de l'Église, il espère sauver ce qui peut l'être et signe en 1950 un *modus vivendi* réglant les relations entre l'Église et l'État. Mais Pie XII n'apprécie pas cette initiative, ce qu'il fait savoir en septembre 1951. Lâché en quelque sorte par Rome, le cardinal subit de plein fouet la répression à la fin de l'année 1953 : en septembre, le primat est assigné à résidence dans un couvent de province après avoir protesté, lors de son prêche, contre l'emprisonnement de l'évêque de Kielce, Mgr Kaczmarek, à la suite d'un procès truqué. Pendant trois ans, l'Église de Pologne est sans chef. Elle ne le retrouve qu'en 1956, à l'occasion du grand mouvement de révoltes qui, en octobre, a enflammé la Pologne et la Hongrie. En effet, si dans ce dernier pays, la révolution politique fut noyée dans le sang par l'armée Rouge, en Pologne, le pouvoir communiste montra sa capacité à renouveler ses membres dirigeants et à accepter certaines réformes.

L'ancien secrétaire général du parti communiste (le POUP), Wladyslaw Gomulka, est libéré de prison. En ce qui concerne l'Église, Stefan Wyszynski est autorisé à sortir de sa retraite forcée. Le primat reprend possession de sa cathédrale lors d'une messe solennelle qui se transforme en triomphe personnel. À partir de 1956, l'Église dans le cadre de ses rapports avec Gomulka prend la dimension d'une institution essentielle dans le développement de la société polonaise : elle devient une véritable contre-autorité. Aidé de jeunes prêtres du type de Karol Wojtyla, Wyszynski sait forger autour de lui et autour de l'Église l'unité sans faille des chrétiens qui fait merveille, même si à l'occasion celle-ci apparaît trop traditionaliste. Il est une des chevilles ouvrières de la préparation du millénaire de la Pologne en 1966.

il célèbre sa première messe. Le cardinal Sapieha, qui a besoin de cadres très expérimentés pour affronter une situation qu'il devine difficile : la cohabitation de l'Église avec un régime politique qui professe l'athéisme, décide d'envoyer Karol Wojtyla se former à Rome. Quittant les froidures de Cracovie, Wojtyla gagne l'Italie en fin d'automne. Il fréquente les cours de l'Angelicum, l'université dirigée par les dominicains, ainsi que sa bibliothèque pour préparer en deux ans une thèse de doctorat intitulée : «la Doctrine de la foi selon saint Jean de la Croix». Entre-temps, il multiplie les lectures et se plonge dans l'apprentissage des langues étrangères : l'italien et le français (il logeait au collège belge). Le jeune prêtre polonais fait impression : travailleur infatigable, il n'est pas le dernier pour proposer une promenade à pied dans la campagne romaine, excellente occasion pour converser sur le mystère de la foi. Travaillant efficacement, il met un point final à son travail universitaire. Il obtient sa licence en juillet 1947, puis son doctorat à la suite de sa soutenance de thèse effectuée le 18 juin 1948, devant un jury de l'université Jagellon. Sa vie d'étudiant est terminée. Place désormais au magistère apostolique.

Le cardinal Sapieha le nomme dans une petite bourgade de l'évêché de Cracovie, à Niegowic, à vingt-cinq kilomètres de Cracovie où il officie comme vicaire auprès d'un curé très âgé. Immédiatement, le jeune prêtre impose sa marque : il construit une nouvelle église en mobilisant toutes les énergies du village afin de fêter dignement le cinquantième anniversaire de l'ordination de son curé. Son goût pour le travail collectif, son abnégation et sa disponibilité destinent vite le jeune vicaire à d'autres fonctions. Karol Wojtyla n'a pas passé deux ans à Niegowic qu'il est nommé, toujours par Sapieha, qui suit attentivement son

poulain, dans une des plus grandes paroisses de Cracovie, Saint-Florian, au nord du centre-ville, à quelques centaines de mètres des anciens remparts.

Là, Wojtyla s'applique à partager l'existence des jeunes catholiques en organisant sorties, jeux collectifs et discussions passionnées sur la littérature ou la poésie. Dès 1949, il devient un collaborateur très régulier de l'hebdomadaire catholique de Cracovie, *Tygodnik Powszechny (la Semaine universelle)*. Il y publie des articles sur les nouvelles pratiques pastorales qu'il a pu approcher de près lors de ses voyages en France et en Belgique, en particulier sur l'expérience des prêtres-ouvriers, une problématique qui l'intéresse vivement. Il participe également à des articles de fond sur la morale et la philosophie. Il envoie régulièrement à la rédaction, dont il devient un grand animateur, des poèmes qu'il signe d'un pseudonyme, Andrzej Jawien. Son enthousiasme et la qualité de son écriture le font parfois admettre, quand il en a le temps, aux réunions du comité de rédaction.

Les qualités de communicateur et de pédagogue qu'il laisse entrevoir dans ses différentes contributions journalistiques sont des arguments de poids quand Wojtyla est invité par l'université catholique de Lublin (seule université catholique de Pologne) à donner quelques conférences en 1953. Celles-ci ayant rencontré un certain succès par leur résonance et leur qualité, les autorités universitaires lui proposent tout d'abord un enseignement régulier de morale dès 1954.

LES PRÊTRES-OUVRIERS

En 1941, un prêtre dominicain, le père Loew, entreprend une enquête sociologique au sein du mouvement ouvrier en se faisant docker à Marseille. C'est avec lui que débute le mouvement des prêtres-ouvriers, qui se donne pour mission de répandre le témoignage de l'Évangile et de la doctrine chrétienne dans le milieu prolétarien, sans lien avec les organisations officielles de l'Église. Mais l'objectif est beaucoup plus ambitieux; pour la majorité des prêtres engagés dans cette cause, il s'agit aussi de s'assimiler totalement aux modes d'existence ouvriers, jusqu'à un engagement militant au sein des mouvements syndicaux. Leur recrutement est aboli par le Saint-Siège en 1951, puis reprend en 1965. Au début des années 80, la France comptait environ 900 prêtres-ouvriers.

En 1956, il reçoit la chaire de morale et devient directeur de l'Institut de morale. Pour devenir titulaire du poste, Wojtyla a dû écrire une thèse d'habilitation.

Le futur Jean-Paul II mène toutes ces activités d'enseignant, dans lesquelles il se sent si bien, en parallèle avec ses fonctions pastorales à Cracovie. Pour cela il lui avait fallu préparer les cours et écrire sa thèse lors de ses voyages hebdomadaires qui le menaient de Cracovie à Lublin, distante d'environ 250 km.

Cardinal-archevêque de Cracovie

En juillet 1958, Karol Wojtyla est âgé de 38 ans et passe quelques jours avec ses étudiants à s'adonner aux joies du kayak. C'est perdu dans la nature que le secrétaire du primat de Pologne réussit à le dénicher pour lui annoncer la nouvelle : l'abbé Karol Wojtyla, enseignant talentueux, est nommé à la charge d'évêque auxiliaire de Cracovie. Le jeune adolescent de Wadowice n'a jamais été aussi près de succéder à celui qu'il ne cessa d'appeler « le Prince », sur le siège du plus célèbre archevêché de Pologne. Sa carrière, dès lors, est fulgurante. Tout d'abord nommé évêque titulaire d'Ombi, il est chargé d'assister l'archevêque de Cracovie en titre depuis le décès de Sapieha, Mgr Eugenius Baziak. Comme le veut la tradition, le nouvel évêque doit choisir une devise. Sans hésitation, il résume le sens de sa vie en une courte formule, sans équivoque : *Totus tuus* («Tout entier à toi»). En 1962, Mgr Baziak décède à son tour laissant vacant le siège d'évêque de Cracovie. Après deux années d'hésitation, le Vatican nomme Wojtyla archevêque de Cracovie le 13 janvier 1964. La consécration a lieu le 13 juin

suivant. Trois ans plus tard, Paul VI lui attribue la pourpre cardinalice. Il est nommé le 29 mai 1967 et reçoit la barrette rouge le 26 juin, au Vatican, des mains mêmes du pape dans une salle proche de la chapelle Sixtine. Cette progression rapide dans la hiérarchie polonaise tient autant à son profil biographique (son extraction plutôt populaire, alors que nombre des prélats polonais de haut rang sont apparentés aux grandes familles de l'entre-deux-guerres, a certainement conduit le gouvernement à être favorable à son élection à Cracovie) qu'à son extraordinaire capacité de travail et d'animation. Wojtyla fait montre d'un grand sens de l'organisation épiscopale. De contact agréable, il devient un véritable exemple : il arrive à se ménager de longues et intenses méditations solitaires sans que cela n'altère ses relations avec les autres, où qu'il soit et quoi qu'il fasse. L'archevêque Wojtyla, qui porte un grand intérêt à la formation des prêtres échange souvent ses expériences pastorales avec ceux-ci ou avec les séminaristes.

Le cardinal Karol Wojtyla a souvent franchi cette porte du palais épiscopal de Cracovie.

L'expérience de Vatican II

Observateur scrupuleux du monde, de la société polonaise, mais aussi des pays les plus avancés à l'occasion des quelques voyages que les autorités polonaises l'autorisent à faire à l'étranger, Karol Wojtyla montre ses capacités à aborder tous les sujets, et plus particulièrement le plus intime et le plus universel, celui qui attire les êtres humains à partager ensemble une vie : l'amour. Fruit de ses réflexions sur la morale menées lors de ses années d'enseignement à Lublin puis à Cracovie au cours des années 1950, son essai publié en 1960 sous le titre *Amour et Responsabilité*, consiste en une tentative d'exposition d'une éthique sexuelle chrétienne. À cette époque, la «révolution sexuelle» des années 1970 n'est en germe qu'aux États-Unis, mais Karol Wojtyla discerne au niveau mondial une perte de responsabilisation de l'individu au profit d'une certaine consommation. Il est l'un des premiers prélats à aborder directement sans utiliser la langue de bois la question de la sexualité, un thème qu'il avait longtemps débattu avec les étudiants et les adolescents avec lesquels il partageait de nombreuses heures de son apostolat dans ses cours et ses sessions. S'il se situe bien évidemment dans la tradition chrétienne de la sacralisation de la sexualité dans le mariage, il n'hésite pas à définir la vie sexuelle comme moment de partage et non comme but de jouissance égoïste.

Nommé évêque en 1958 par Pie XII, Karol Wojtyla est un homme de la génération Vatican II, ce grand concile annoncé par Jean XXIII dès le 25 janvier 1959, c'est-à-dire trois mois après son élection. Après une période de préparation de deux ans, le concile s'ouvre le 11 octobre 1962. Près de 3 000 pères conciliaires participent à une première session.

Trois autres sessions seront organisées jusqu'en novembre 1964. Karol Wojtyla est consacré archevêque cette même année et peut participer à la troisième session, qui siège du 15 septembre au 21 novembre. La participation polonaise se limita à 17 évêques sur les 61 que comptait le pays du fait des restrictions qu'imposa le pouvoir à leur sortie du territoire. Auparavant, Wojtyla avait suivi depuis 1962 l'avancée des travaux préparatoires en tant qu'évêque auxiliaire.

L'archevêque de Cracovie se fait connaître de ses pairs pour de nombreuses raisons. Tout d'abord parce que ses qualités individuelles de pasteur dépassent les frontières de la Pologne. Wojtyla témoigne, non d'une Église du silence, comme on affecte à l'Ouest de qualifier les Églises de derrière le rideau de fer, mais d'une Église vivante, ouverte au monde en train de bouger, qui ne se préoccupe pas seulement de mener une partie de bras de fer avec l'État, mais qui, inscrite dans la vie des hommes, répond à leurs besoins. Protégé par la lutte que mène Wyszynski contre les autorités polonaises, Karol Wojtyla, au-delà des symboles, mène une véritable évangélisation des fidèles.

Le plus jeune évêque de Pologne à l'heure de sa consécration révèle rapidement ses principales qualités d'animateur: une capacité d'écoute, un évident savoir-faire en matière de synthèse et une approche moderne des problèmes. Il intervient à huit reprises dans les débats conciliaires, notamment sur ceux portant sur la liberté religieuse, où il revendique pour l'Église le droit de mener sans entrave sa mission de témoignage du mes-

LE CONCILE DE VATICAN II

Convoqué par le pape Jean XXIII, continué et achevé par Paul VI, le concile de Vatican II a profondément marqué le développement de l'Église au cours de la seconde moitié du XXᵉ siècle. Organisé en quatre sessions, il s'est tenu du 11 octobre 1962 au 8 décembre 1965. L'œuvre du concile est regroupée en seize documents qui fixent le rôle des différents acteurs de l'Église dans le monde moderne (rites, responsabilités) mais aussi de la question centrale de l'œcuménisme.

L'assemblée plénière du concile de Vatican II, dans la basilique Saint-Pierre de Rome.

sage chrétien. Il se démarque des membres les plus ultras de la Curie en refusant de souscrire à une condamnation *ex abrupto* de l'athéisme, sachant que ce n'est pas de cette manière-là que l'Église pourra continuer à agir efficacement dans les pays de l'Est.

À côté de ses interventions, Karol Wojtyla se dépense sans compter dans les contacts avec les autres prélats, avide de comparer, de retenir des leçons de ce qui est aussi un formidable lieu d'échange d'expériences pour tous ces cadres que sont les évêques. Sa formation intellectuelle de philosophe et de professeur de morale, son mode de vie où la méditation et la contemplation s'allient à une pratique sportive quotidienne (nage et marche), sa présence physique et intellectuelle font de lui un homme épanoui, volontaire, convaincant, doué d'un sens de l'humour, bref un « communicateur ». Ces qualités le signalent sans équivoque à l'attention du souverain pontife. Paul VI, qui est très attentif aux choses de Pologne (n'a-t-il pas été dans son jeune temps l'attaché culturel à la nonciature de Varsovie ?), suit l'ascension de celui qu'il a choisi. Lors de la quatrième session, il le nomme archevêque et métropolite de Cracovie. Cette ascension irrésistible est ponctuée par une intervention importante dans le cadre de la discussion du schéma XIII intitulé *Gaudium et Spes*, au cours de laquelle le nouvel archevêque donne toute sa mesure : insatisfait du texte préparatoire auquel il reproche de refléter une mentalité ecclésiastique, il préconise une approche pastorale dans laquelle l'expérience est première, avant le dogme.

Son intervention sans concession lui assure très vite l'intérêt de tous ses pairs et de ses supérieurs. Wojtyla n'est plus un inconnu, ce n'est pas seulement un homme qui a des idées, c'est aussi un homme qui a une pratique élaborée, fondée par une réflexion, par un attachement à des valeurs : un véritable pasteur. Son identité est présente à tous. Il est l'homme des défis. Les pères de l'Église n'oublieront pas ce message quinze ans plus tard.

D'autant que Wojtyla, de retour à Cracovie, se fait le propagandiste inépuisable des leçons de Vatican II. Il mobilise tout son diocèse en multipliant les sermons, les cours et les sessions pour faire passer le message de la rénovation de l'Église. Afin que le sens de son activité ne se perde pas dans ses multiples interventions, il consigne toutes ses expériences dans un ouvrage qu'il publie en 1972, intitulé *Aux sources du renouveau.*

Solidaire de sa hiérarchie perçue à l'extérieur comme traditionaliste, Wojtyla propose une approche constructive de la réalité, politique ou sociale, démontre un esprit positif, sans toutefois aliéner le message propre à l'Église.

*L*a place du marché dans la vieille ville de Cracovie.

LES PREMIERS PAS D'UN PAPE

- Une nouvelle image de pape
- L'héritage de Paul VI
- Entre tradition et modernité
- Jean-Paul II et l'Afrique
- L'Église et les réformes sociales
- Jean-Paul II et les jeunes
- Le rôle des voyages œcuméniques et apostoliques
- 13 mai 1981 : le pape échappe au martyre

Durant les premiers mois de son installation à Rome, Karol Wojtila prend la mesure de son immense diocèse : un petit bout de terre italienne certes, mais aussi et surtout un royaume spirituel rayonnant sur la terre entière. En effet, les serviteurs du catholicisme exercent leur ministère sur tous les continents. Dans un premier temps, le nouveau pape visite et apprend à connaître tous les rouages de l'administration pontificale, que le cardinal-archevêque de Cracovie ne connaissait que par ouï-dire ou dont il n'avait eu qu'un aperçu lors de ses séjours privés à Rome ou lors des réunions conciliaires.

Jean-Paul II ne change rien à l'organigramme de son petit État. Il s'est donné pour principe d'apprendre en écoutant beaucoup avant de prendre les mesures nécessaires pour adapter l'appareil à ses obligations. C'est ainsi que le 24 octobre, il reconduit provisoirement le cardinal français Jean-Marie Villot pour le «début de son pontificat» à son poste de secrétaire d'État. Ce sont les événements qui vont dicter désormais sa pratique. Le destin l'oblige à réorganiser son «gouvernement» à la suite du décès de Mgr Villot qui meurt le 9 mars 1979 à Rome.

Une nouvelle image de pape

Dès la première année de son pontificat, Jean-Paul II trace les premiers sillons du vaste champ de son activité apostolique et missionnaire. En l'espace de quinze mois, il s'impose à la planète comme un des grands leaders charismatiques de son temps.

Ce paysan polonais qui lit l'exemplaire historique du quotidien catholique polonais Tygodnik Powszechny, *n'imagine certainement pas encore l'impact que le choix des pères conciliaires aura dans toute l'Europe de l'Est encore dominée par un régime à bout de souffle.*

Jean-Paul II a complètement transformé par ses qualités personnelles l'apparence de la figure pontificale : il donne de la papauté une image de jeunesse, d'ouverture, d'enthousiasme qui tranche avec la période précédente. Dignitaire de l'Église n'ayant pas été formé à la haute école des commissions vaticanes, le pape donne l'impression d'être un dirigeant comme les autres : il a de l'humour, il fait du sport, il réagit. Rien n'évoque en lui une quelconque distance. À l'heure où les média audiovisuels prennent une importance de plus en plus considérable, le pape produit une impression positive : personnage sympathique, sa dimension dépasse celle propre à l'Église. Cette image efficace s'appuie sur une foi inébranlable soutenue par une volonté de fer.

Jean XXIII, dit le « bon pape Jean », en 1958, lors de son couronnement.

JEAN XXIII

Paradoxe. Le cardinal Roncalli fut un des souverains pontifes les plus âgés le jour où il a revêtu les insignes de son nouveau rang. Pourtant c'est à lui que l'Église doit l'élan de son rajeunissement au cours du xxe siècle. Né dans la province de Bergame, au nord de l'Italie, en 1881, il succède à Pie XII à l'âge de 77 ans. Il fallut onze tours de scrutin pour aboutir à son élection. Le «bon pape Jean» invite l'Église à s'adapter au monde en organisant le concile de Vatican II.

Une volonté qu'exprime son visage au front haut et à la mâchoire décidée. Pour Jean-Paul II, plus que chez d'autres souverains pontifes, la foi est exprimée sans retenue, chevillée au cœur d'un militant de Dieu.

Après avoir effectué son aggiornamento à l'occasion de Vatican II, que ses audaces ont quelque peu étourdie, l'Église, à travers son pape polonais, affirme sa place dans le monde comme conscience indispensable à sa regénération ou à son équilibre. Nul doute que le choix d'un pape qui n'a cessé de se battre pour que son Église soit respectée, ne se révèle positif pour l'action future. Le pape est originaire d'un pays, la Pologne, qui ne connaît que des églises bondées de fidèles. Soutenu par cette ferveur populaire, il porte fièrement les couleurs du catholicisme.

Dès lors, il ne faut pas s'étonner que Jean-Paul II redonne vie à toute une piété populaire : toutes les manifestations du culte de la Vierge Marie sont remises en vigueur. Reprenant l'initiative sur tous les terrains en instaurant un rapport direct avec la communauté des chrétiens ou à travers une présence médiatique cultivée par la succession régulière de ses voyages, Jean-Paul II prend la tête de la croisade des fidèles et inquiète les nombreux clercs et laïcs plongés dans la réforme conciliaire, attentifs aux milieux d'évangélisation qu'ils ont choisis (classe ouvrière, tiers monde).

L'héritage de Paul VI

Jean-Paul II suit les traces de Paul VI sur la voie de l'autonomie des épiscopats. Lors de son premier voyage en Amérique latine, il ouvre la IIIe conférence générale de l'épiscopat latino-américain (28 janvier-13 février 1979). Il y définit l'axe principal de son pontificat : « Veiller à la pureté de la doctrine du catholicisme, faire comprendre que l'enseignement du Christ n'est pas une philosophie de la vie et de l'action comme une autre. Il est bien antérieur à cette définition. Il s'agit d'un état d'esprit, d'une foi en l'homme : l'action de l'Église dans des domaines comme la promotion humaine, le développement, la justice, les droits de la personne, se veut toujours au service de l'homme... Par conséquent, elle n'a donc pas besoin de recourir à des systèmes et à des idéologies pour aimer, défendre l'homme et collaborer à sa libération».

En même temps, il indique ce qui lui paraissent être les tâches prioritaires de cette conférence et qu'il ne cessera de rappeler tout au long de son pontificat : la défense de la famille face aux menaces (divorce, avortement, pratiques anticonceptionnelles), la résolution du problème de la crise des vocations, le rôle clé de la jeunesse dans l'action de l'Église et de son témoignage.

Ces propos anticipent le texte de sa première encyclique qu'il publie le 15 mars 1979 sous le titre de *Redemptor hominis*. Le pape y exprime, sur la lancée de son accession au trône de saint Pierre, un véritable acte de foi en l'avenir. L'optimisme pragmatique du cardinal polonais qui a affronté et, par le symbole que constitue son élection, vaincu le régime totalitaire, trouve là son expression la plus précise. Au nom de la personne humaine, le chantier à mettre en œuvre est immense :

Paul VI a poursuivi l'œuvre de Jean XXIII en matière conciliaire. Formé par Pie XII, il a contribué au dialogue interreligieux.

« La dignité authentique de l'homme appelle des innovations hardies et créatrices». Parallèlement à cet appel à rendre compte de la modernité et des problèmes que celle-ci ne manque pas de poser à l'homme, il rappelle des points doctrinaux qui lui semblent totalement incontournables : l'orthodoxie de la doctrine, le respect des normes liturgiques, le célibat des prêtres ou la confession des péchés. Il inscrit son intervention dans le but de rendre l'Église « plus ferme, plus mûre, plus unie », pour qu'elle soit mieux armée pour dialoguer avec les autres religions et croyances et le monde en général. Cette

PAUL VI

En 1963, le cardinal Montini est archevêque de Milan et l'une des chevilles ouvrières du concile Vatican II convoqué par Jean XXIII. Considéré comme un modéré, il apparaît comme le seul capable de mener à bien l'immense travail entrepris par son prédécesseur. Dès son élection en 1963, il s'attela effectivement à cette tâche qu'il acheva le 8 décembre 1965. Issu d'un milieu bourgeois pratiquant et proche de la démocratie-chrétienne naissante, il poursuit sa formation universitaire à l'Académie des nobles ecclésiastiques, l'école diplomatique du Saint-Siège. Fidèle collaborateur de Pie XII, il est nommé à Milan en 1954, et en 1959, il est chargé par Jean XXIII d'organiser le concile.

capacité de dialogue avec tous, et en particulier avec l'adversaire athée, Jean-Paul II va la manifester dès le mois de juin 1979 à travers son premier voyage dans son pays natal en tant que chef de l'Église universelle. Drainant une foule énorme à chacune de ses étapes (Varsovie, Gniezno, Czestochowa, Cracovie, Auschwitz-Birkenau), Jean-Paul II affirme avec fermeté quelques principes de base de son action de toujours : indépendance de la Pologne, comme révélateur de l'état des libertés en Europe ; volonté de l'Église de tenir une place, toute sa place, et rien que sa place dans tout pays ; pouvoir de jouer son rôle et sa mission – personne n'est habilité à exclure le Christ de l'histoire de l'homme en quelque partie que ce soit du globe. À plusieurs reprises, devant les foules assemblées et enthousiastes, ou bien devant l'épiscopat polonais, Jean-Paul II exprime sa philosophie des rapports entre l'Église et l'État, rappelant également le fondement chrétien de l'Europe.

Entre tradition et modernité

Très vite, Jean-Paul II ne doit pas simplement apprendre à connaître le mode de fonctionnement de l'État du Vatican, mais aussi à statuer sur des situations très différentes de celles qu'il a connues en Pologne. Il en est ainsi de la situation qui règne dans l'Église catholique des Pays-Bas.

À l'instar de la société néerlandaise qui se révèle une des plus permissives d'Europe occidentale, l'Église locale est au premier rang des besoins de réformes. Celles initiées par Vatican II y sont considérées bien trop timides : l'heure est à admettre le mariage des prêtres, à reconnaître l'homosexualité, à inviter les femmes au sacerdoce. Cette volonté révolutionnaire s'appuie sur le dynamisme d'une communauté catholique très active fondée sur des communautés de base. Ce type de développement va totalement à l'encontre des préoccupations du souverain pontife. On est loin des pratiques religieuses traditionnelles des pays de l'Est ou du tiers monde. Afin de ne pas transformer ce conflit en une affaire personnelle, le pape met au point une procédure exceptionnelle : il convoque tous les évêques néerlandais à Rome. Il accepte de

JEAN-PAUL Ier

Né à Canale d'Agordo en 1912, Jean-Paul Ier (Albino Luciani) est ordonné prêtre en 1935. Il occupe tour à tour les postes de vicaire dans sa ville natale, vice-recteur et professeur de théologie dogmatique au séminaire grégorien de Belluno, puis vicaire général du diocèse en 1947. En 1969, il est nommé patriarche de Venise, vice-président de la Conférence épiscopale italienne (1972), et enfin cardinal en 1973. Il est élu pape le 26 août 1978, à la mort de son prédécesseur, Paul VI. Très malade et surchargé de travail, il s'éteint 33 jours plus tard, victime, selon le diagnostic des médecins, d'un infarctus.

Jean-Paul Ier, un sourire qui illumine la chrétienté pendant quelques semaines.

former plusieurs commissions qui contrôlent l'activité de l'Église ainsi qu'un conseil composé de deux membres élus par le synode et d'un membre désigné par le pape, qui veillera à l'application des conclusions promulguées par le pape. L'Église des Pays-Bas est mise sous contrôle.

Jean-Paul II et l'Afrique

Le continent noir va constituer une destination privilégiée du nouveau pape au même titre que l'Amérique latine ou l'Europe de l'Est. C'est là, pour lui, que se joue le sort d'une partie du catholicisme devant le développement des églises syncrétiques ou protestantes.

Sa première visite pontificale a lieu en mai 1980 : il s'agit du deuxième voyage africain d'un pape puisque Paul VI, au cours d'un de ses dix déplacements hors de la péninsule

Organisée en plein air, la concélébration d'une grande messe avec les évêques du clergé local rassemble des dizaines de milliers de fidèles, comme ici en Zambie.

italienne, s'était déjà rendu en Afrique centrale (Ouganda). Devant des foules débordantes d'enthousiasme, comme il n'en a rencontré que dans sa Pologne natale, Jean-Paul II n'hésite pas à aborder clairement tous les problèmes qui se posent aux chrétiens, laïcs ou religieux, dans cette région du monde frappée de plein fouet par les difficiles conditions de la décolonisation et la crise économique mondiale. Il encourage ses évêques à maintenir fermement le drapeau de l'Église dans les rapports difficiles qu'ils entretiennent avec les autorités étatiques, le plus souvent des régimes dictatoriaux. Il vilipende le néo-colonialisme et réaffirme le droit de chaque individu à pratiquer la religion de son choix dans n'importe quel pays, montrant ainsi du doigt ceux qui font profession d'athéisme après avoir établi un régime marxiste.

L'Église et les réformes sociales

Lors de son premier voyage au Brésil en juillet 1980, Jean-Paul II déclare devant le président de la République brésilienne que « l'Église ne cesse de préconiser des réformes qui visent à construire une société plus juste et toujours plus en accord avec la dignité de tout être humain». Sans oublier de signaler que la mission de l'Église ne peut se réduire au domaine socio-politique, il condamne le socialisme mais avertit les riches « que seule a raison d'être une société socialement juste ». Le 2 juillet, devant un épiscopat tenté par la théologie dite de la libération, il fixe les limites que l'Église doit se poser en matière d'intervention en politique : un rôle de dénonciation des atteintes à la dignité de l'homme, que ce soit dans le champ économique ou politique, de toute action qui ne correspond pas au message de l'Évangile (on sait qu'il a été marqué par l'expérience des prêtres-ouvriers français lors des voyages qu'il a pu effectuer durant ses séjours à l'Ouest, en France et en Belgique). Il faut se rappeler, de plus, le long commerce qu'il a eu tout au long de sa carrière de prêtre avec la question ouvrière : une réalité physique, quand pendant la guerre il a partagé la condition des prolétaires, une réalité sacerdotale, quand pendant 22 ans, il a dû batailler ferme avec un régime qui se proclamait «ouvrier». L'Évangile, pour Jean-Paul II, est un message d'espoir pour les humbles, les pauvres, c'est une invite à manifester sa solidarité, à intervenir dans la sphère sociale, mais ce n'est nullement une invitation à transformer le message évangélique en message politique et spécifique dispensé par une

JEAN-MARIE VILLOT

Jean-Marie Villot, né en 1905, dans une famille de paysans auvergnats (à Saint-Amand-Tallende, dans le Puy-de-Dôme), après une carrière d'enseignant, puis de responsable du secrétariat de l'épiscopat, devient coadjuteur de l'archevêque de Lyon en 1959 et lui succède à sa mort en 1965. Mais Paul VI l'appelle auprès de lui dès 1967 comme préfet de la Congrégation pour le clergé. Cheville ouvrière de Vatican II dont il est le sous-secrétaire, il est nommé secrétaire d'État le 2 mai 1969. Pendant près de dix ans, il fut le deuxième personnage du Vatican et assura la continuité durant les deux vacances liées aux décès successifs de Paul VI et de Jean-Paul Ier.

organisation. Il donne un objectif plus exaltant à ses ministres, plus difficile également : «évangéliser le politique ». À maintes reprises, le pape ne manquera pas de dénoncer les inégalités en réaffirmant des principes très simples. C'est ainsi qu'il déclara, le 7 juillet, devant les paysans du Nordeste dans le diocèse du célèbre don Helder Camara : « Il existe un droit divin à la terre, car celle-ci est un don de Dieu, un don fait à tous les êtres humains. » Dans ce contexte, pour lui, « il est inadmissible que les hommes et les femmes qui font fructifier la terre du travail de leurs mains soient exclus du développement général de la société ». Jean-Paul II s'inquiète des

LA THÉOLOGIE
DE LA LIBÉRATION

La théologie de la libération, vecteur de réflexion et d'œuvre pastorales, est apparue en Amérique latine dans les années 1960. Elle s'est développée dans un contexte historique bien défini : une absence de croissance économique ou bien un développement industriel non maîtrisé qui a provoqué l'appauvrissement de la paysannerie et a engendré les bidonvilles. Ce courant de pensée se penche sur le rapport entre pauvreté et foi, et cherche un remède à la misère des masses. Il se manifeste sur le terrain, au cœur des réalités terrestres, où la pratique chrétienne ne peut être dissociée de la vie active des communautés. Partant de la pauvreté des peuples et abordant des sujets délicats tels que la violence, les tenants de la théologie de la libération furent accusés de véhiculer des idées marxistes.

En Colombie, sur son passage, ce sont les jeunes qui montrent un enthousiasme débordant, signe d'une vitalité sur laquelle Jean-Paul II compte tant.

inégalités et invite les autorités patronales et étatiques à mener des réformes. Reste que nombre de prêtres lui reprochent de n'intervenir que sur le plan des principes.

Jean-Paul II et les jeunes

À chacun de ses voyages, Jean-Paul II ne manquerait pour rien au monde ses rendez-vous organisés avec la jeunesse chrétienne des pays qu'il visite. C'est pour lui l'occasion de répéter inlassablement la défense des valeurs chrétiennes sur lesquelles le jeune va pouvoir fonder les bases de sa vie d'adulte. Ces contacts lui permettent aussi de réaffirmer la morale d'action de l'Église qui ne saurait entrer dans la spirale de l'affrontement entre classes. Pour lui, inévitablement, l'utopie

de la société sans classes est dangereuse, car impossible à concilier avec le message évangélique : elle ouvre la voie à la dictature. Il n'est donc pas question que la jeunesse se fourvoie dans une voie où elle perdrait son âme.

Le rôle des voyages œcuméniques et apostoliques

À côté des grands voyages symboliques de la chrétienté triomphante, comme ceux qui ont mené le pape dans les lieux les plus vivants de la religiosité catholique, à savoir ceux des pèlerinages (Lourdes et Lisieux, en France, et Fatima, au Portugal) ou bien ceux qui l'ont vu baiser le sol de terres jamais foulées par un pape, comme les pays de l'Est, il en est d'autres qui sont particulièrement importants pour leur dimension historique ou politique. Il en est ainsi du premier voyage effectué en Allemagne fédérale, en 1980. Et ce pour trois raisons. La première réside bien évidemment dans le souvenir des atrocités commises par les troupes allemandes et les nazis à l'encontre, principalement, des juifs. C'est à Cologne, que le pape rencontre pour la première fois les représentants de la communauté juive et entreprend la visite d'une synagogue.

La deuxième réside dans le fait que le catholicisme allemand est une puissance financière et évangélique de première importance au sein de l'Église universelle. Le catholicisme allemand connaît une croissance réelle et est extrêmement riche, puisqu'il reçoit sa part de l'impôt d'Église et de généreuses subventions pour l'ensemble des œuvres sociales qu'il gère.

En troisième lieu, c'est également au sein de cette structure que les critiques les plus sévères surgissent sur les idées défendues par le pape. Religion en progression mais venant en deuxième position dans un pays où les différentes églises protestantes arrivent en première ligne, le catholicisme est soumis, en particulier à des reproches stigmatisant son manque d'enthousiasme dans l'établissement de relations œcuméniques, ainsi que ses positions intransigeantes sur la question des dogmes sur laquelle la société allemande est bien plus libérée que ne l'est le pape polonais.

La contestation en Allemagne est le fait de théologiens, Hans Küng en 1979-1980 et, plus tard, Eugen Drewermann, dans les années 1990. Alors que l'Allemagne connaît une vaste mobilisation antinucléaire et contre l'installation de missiles dirigés vers l'Est dans laquelle les églises protestantes jouent un rôle déterminant, l'Église catholique se voit reprocher

UN VOYAGE DU PAPE

Le voyage papal, sous Jean-Paul II, constitue une véritable méthode de gouvernement de l'Église. La plupart du temps, il ne dure pas plus de 10 jours. Remarquablement organisé avec les Églises des pays à visiter, le voyage est une occasion de multiplier des rencontres de différents types. Les plus solennelles voient le souverain pontife accueilli par les autorités de l'État en question. Des discussions d'État à État plus ou moins formelles sont alors engagées. Le pape rencontre également les représentants des forces vives de la nation : chefs des autres communautés religieuses, partis politiques au pouvoir et dans l'opposition (au grand dam des gouvernants peu démocratiques), etc. Plusieurs manifestations propres à l'Église catholique sont organisées de pair avec la visite papale : un lieu de pèlerinage particulier, l'ordination d'évêques ou de prêtres, la béatification de saints locaux afin de signifier l'exemple du sacrifice au nom de Dieu. Enfin des rencontres avec la jeunesse ont systématiquement lieu à la fin de la présence du pape dans un pays. Toutes ces rencontres suscitent un enthousiasme délirant et drainent des foules innombrables : aussi ne faut-il pas s'étonner que ce sont des stades ou bien des parcs immenses qui accueillent les prestations du pape. Bains de foule, embrassades, bénédictions se succèdent à une cadence soutenue. L'image du pape dressée à l'arrière de sa papamobile offerte par les fidèles mexicains est désormais présente à l'esprit de tous les hommes des cinq continents. Tout comme l'image qui introduisait la visite de chaque pays : sitôt descendu de l'avion, le pape se met à genoux pour baiser le sol du nouveau pays. Le pape ne dérogera à cette pratique que ces dernières années : l'âge ayant raison de l'effort physique que cela représentait. Seule dérogation à ce rite lorsque la forme était là : sa courte visite en Afrique du Sud, alors que le pays connaissait encore le régime inique de l'apartheid.

sa frilosité. Des personnalités catholiques (au nombre de 135) et des associations ont choisi cette occasion pour remettre officiellement à la nonciature de Bonn une lettre ouverte au souverain pontife dans laquelle le pape est exhorté par ses contradicteurs à prendre clairement position sur les problèmes de son temps : misère du tiers monde, course aux armements, séparation entre catholiques et protestants. Sans répondre directement à cette interpellation de poids, le pape prononce plusieurs discours qui renouvellent ses ouvertures en direction des protestants auxquels il propose une réflexion approfondie sur les points qui divisent les communautés. Porteur

d'un message universel, guide engagé dans son temps, Jean-Paul II, porte-parole d'une institution aux responsabilités immenses, engage ses interlocuteurs à ne tomber ni dans l'intégrisme ni dans le progressisme, deux dangers qui menacent la religion. « Père gardez-vous à droite, Père gardez-vous à gauche ! » À la différence de tous les tenants du discours qu'on pourrait qualifier de centriste, Jean-Paul II n'adopte pas une position de retrait mais une attitude offensive qui a pour effet de convaincre son auditoire. Pourquoi ? Parce que se dégage des propos papaux une volonté extraordinaire et une confiance inexorable.

13 mai 1981 : le pape échappe au martyre

En 1981, au bout de presque trois ans de pontificat, la personnalité de Jean-Paul II, s'est imposée à tous, opposants compris. L'« examen de passage » a été remporté haut la main, au-delà de tous les espoirs. Par son charisme, par sa piété naturelle, par ses gestes, par ses expressions, le pape crève l'écran d'une société de plus en plus médiatique. Orateur à l'aise en public sur les scènes immenses dressées devant les auditoires les plus énormes, Jean-Paul II est largement au premier rang du hit-parade des draineurs de foule, laissant loin derrière lui les plus grandes vedettes de rock ou de folk. Ces apparitions constituent depuis deux ans des moments très forts de communion et de

Jean-Paul II, touché à l'abdomen, s'effondre. Son secrétaire et ses gardes du corps le soutiennent avant de le conduire vers l'hôpital Gemelli, où il sera sauvé après une longue opération.

convivialité pour une communauté chrétienne qui avait plutôt adopté un profil bas depuis une vingtaine d'années. L'espoir que mettent les fidèles en Jean-Paul II et dans le message de l'Église a des effets immédiats que le souverain pontife n'avait pas envisagés, même s'il les avait espérés.

En mai, cette voie parsemée de roses rencontre son premier obstacle. Et quel obstacle ! Jean-Paul II, après le bonheur d'être pape, affronte le drame. Le 13 mai, il fait une sortie à bord de son véhicule officiel, une Jeep toute blanche. Le véhicule aux armes du souverain pontife traverse la place Saint-Pierre où se sont massés des milliers de fidèles pour assister à l'audience publique que le pape organise chaque semaine en ces lieux. Alors qu'il arrive au milieu de la place, un homme se dresse et tire plusieurs coups de feu dans sa direction avec son revolver 9 mm. Le Saint-Père est atteint par plusieurs projectiles, tout comme deux touristes américains. Mais c'est bien

LA FILIÈRE BULGARE

La filière bulgare a suscité une polémique particulièrement vive en Italie et en Europe en novembre-décembre 1982. Lors de l'enquête sur Ali Agça, il a été établi que celui-ci aurait eu des relations avec des fonctionnaires de l'ambassade de Bulgarie, à Rome. C'est ainsi que le 25 novembre, les carabiniers arrêtent un fonctionnaire de la compagnie bulgare Balkan Air du nom de Serguei Ivanov Antonov (ci-contre), qu'ils soupçonnent de complicité dans la tentative d'assassinat de l'année précédente. Cette décision donne lieu à une couverture médiatique intense. La Bulgarie proteste énergiquement tandis que de nombreux médias impliquent le KGB dans le complot. Le 29 novembre, la polémique monte d'un ton, le journal moscovite, les *Izvestias*, dénonce les activités subversives du Vatican en Pologne et attaque de manière injurieuse la personne de Jean-Paul II. Dès le lendemain, le Saint-Siège répond en déplorant énergiquement « cette surprenante attaque d'un hebdomadaire soviétique contre le Saint-Père ». Mais l'enquête se poursuit et, le 26 octobre 1984, le juge d'instruction Ilario Martella, inculpe Antonov pour complicité dans l'attentat en compagnie de deux autres Bulgares et quatre Turcs. Selon le magistrat instructeur, l'attentat aurait été organisé depuis Sofia par les services secrets bulgares. D'autre part, les analyses balistiques révéleraient qu'il n'y avait pas un seul tireur, mais qu'un certain Oral Celi, un Turc toujours en fuite, aurait également tiré sur le Saint-Père, le touchant à la main. L'affaire s'achève provisoirement en 1986, lorsque, le 29 mars, la cour d'assises de Rome acquitte pour insuffisance de preuves tous les suspects, qu'ils soient bulgares ou turcs, présents ou jugés par contumace. Seul le Turc Omar Baggi est condamné à trois ans et deux mois de prison pour avoir introduit en Italie l'arme du délit.

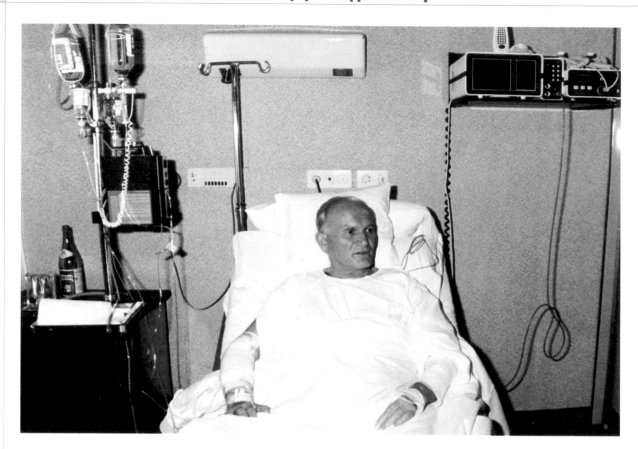

Jean-Paul II se repose dans sa chambre de la clinique Gemelli, à Rome. Il y restera trois semaines avant d'aller en convalescence.

lui qui est le plus gravement blessé. Protégé par son secrétaire et ses gardes du corps, le pape est conduit hors de la place Saint-Pierre : la voiture sort en trombe du Vatican et se dirige immédiatement vers la clinique Gemelli où le pape est admis d'urgence en salle d'opération. Son état est jugé sérieux. Gravement touché à l'abdomen, il a la vie sauve après une intervention qui a duré plusieurs heures.

La nouvelle de l'attentat stupéfie le monde. Pourtant l'Italie, épicentre de tous les terrorismes, a déjà habitué l'opinion publique mondiale à ces tragédies obscures (en 1980, Aldo Moro a été retrouvé mort dans le coffre d'une voiture, dans les rues de Rome, assassiné par les Brigades rouges). Mais jamais aucun observateur n'aurait envisagé que des hommes chercheraient à assassiner un homme de foi, comme Jean-Paul II.

L'identité du mercenaire est elle aussi symptomatique. Ali Agça est un militant d'extrême droite, proche des Loups gris, une organisation extrêmement violente, et c'est pour le compte de cette organisation que ce jeune Turc de 23 ans a déjà commis, en Turquie, un attentat politique en assassinant le directeur du quotidien *Milliyet*. Si cet homme est un professionnel du crime politique, c'est aussi un homme protégé, qui possède des liens étroits avec les milieux terroristes et qui n'a rien d'un simple d'esprit. Homme de main protégé, car il a pu, après avoir été condamné à mort, s'évader de la prison militaire d'Istanbul. Simple d'esprit, il ne l'est pas, bien que l'on puisse s'étonner qu'abattre Jean-Paul II soit une de ses marottes (en novembre 1979, il avait adressé au même journal, qui s'était empressé de la publier, une lettre dans laquelle il mentionnait son projet criminel à l'occasion du prochain voyage du pape en Turquie). Après son évasion, il semble qu'Ali Agça ait effectué des voyages en Allemagne et qu'il ait été pris en charge par des activistes d'extrême droite turcs.

Tous ces éléments nourrissent les hypothèses plus ou moins bien développées de complots commandités par l'Est : les soupçons se portent sur le KGB, via les Bulgares, qui entendraient ainsi porter un coup au processus de libéralisation en cours en Pologne ou bien, à plus long terme, stopper une action pastorale qui a comme conséquence de déstabiliser la région ; est également privilégiée la piste islamique. La personne de Jean-Paul II est devenue une figure centrale. Jamais le pape n'avait été placé à ce point au centre de l'attention de la planète. Plus de quinze ans plus tard, les mobiles et les commanditaires du crime sont toujours inconnus. Ont-ils fait l'objet d'une confidence ultime lorsque Jean-Paul II s'est rendu dans le quartier de haute sécurité de la Rebibbia pour visiter celui qui avait tenté de l'assassiner ?

Le pape est hospitalisé. L'heure est à la prière pour obtenir son prompt rétablissement.

ALI AGÇA

Mehmet Ali Agça, l'auteur de l'attentat, est un étudiant en économie, né en 1958, qui se proclame « terroriste indépendant ». Cet extrémiste de droite, réfugié en Allemagne, avait déjà été condamné à mort par contumace en 1979 pour l'assassinat du directeur du journal turc *Milliyet*, après s'être évadé de prison. Ayant été pardonné par le pape lors de leur rencontre historique, Ali Agça tente d'obtenir une réduction de la peine de réclusion à vie qu'il purge en Italie.

Jean-Paul II, qui est venu, en 1983, derrière les barreaux pour confirmer le pardon déjà exprimé publiquement dès le 17 mai, soit 4 jours après l'attentat, a-t-il reçu le secret d'Ali Agça ? Les récentes déclarations de ce dernier, qui se prend pour le Christ afin d'obtenir une remise de peine importante et une libération conditionnelle, augurent mal de sa sincérité et de sa maturité mentale. Présenté devant la justice italienne le 20 juillet 1981, le prévenu refuse d'assister à l'audience de la cour d'assises de

Jean Paul II prenant congé de celui qui avait voulu l'assassiner deux ans plus tôt, par une fin d'après-midi ensoleillé de printemps, en mai 1981.

Rome, prétextant que celle-ci n'était pas compétente pour le traduire en justice et réclame d'être jugé par le Vatican. Cette prétention est rejetée par le juge puisque le lieu de l'attentat – la place Saint-Pierre – est sous la responsabilité de l'État italien en application des accords du Latran (1929). En l'absence de l'accusé, le 22, après sept heures de délibérations, Ali Agça est condamné à la peine la plus lourde : les travaux forcés à perpétuite. Une condamnation pour laquelle le terroriste ne fait pas appel, n'ayant aucun argument nouveau à présenter pour défendre sa cause.

LE PONTIFICAT DE JEAN-PAUL II DEPUIS 1981

- Le pape et la crise du monde communiste
- Jean-Paul II et le monde slave
- La question sociale dans le message de Jean-Paul II
- L'action pour la paix
- De l'usage diplomatique des audiences papales
- Jean-Paul II et l'Amérique latine
- Une Église en perpétuelle réforme

- Défenseur de Vatican II contre l'intégrisme
- Jean-Paul II et l'œcuménisme
- Vingt-quatre heures de la vie d'un pape
- Les encycliques de Jean-Paul II
- Le gouvernement du Vatican : la Curie
- Le Vatican : les organes de communication
- Jean-Paul II et la communauté juive
- Jean-Paul II et la vie
- Un pontificat à nul autre pareil

Bien que les blessures infligées à cet homme de plus de 60 ans fussent graves, le pape quitta la clinique dès le 3 juin après des soins remarquables et grâce à sa volonté de fer qui n'avait en rien été altérée par les événements. Il profita des fêtes de la Pentecôte pour faire sa première apparition publique devant la foule des fidèles rassemblés sur le lieu de l'attentat.

Celui-ci a bien évidemment bouleversé l'agenda du pape, qui a été contraint d'annuler certains voyages, en particulier celui qu'il prévoyait de faire en Suisse, début juin et le pèlerinage qu'il avait souhaité effectuer à Lourdes, à l'occasion du congrès eucharistique international. Contraint de passer plusieurs semaines en convalescence, le pape reprit progressivement ses activités aussi bien à Rome qu'à Castelgandolfo. Il en profita pour mettre

la dernière main à sa troisième encyclique *Laborem exercens*, dans laquelle il aborda le problème du travail et la question ouvrière.

Mais le mois de mai 1981 restera toujours un mois douloureux dans le souvenir du souverain pontife. C'est en effet le 28 mai, alors qu'il était toujours à la clinique Gemelli, qu'il apprit le décès de son ami, le primat de Pologne, Stefan Wyszynski. Jean Paul II n'en fut pas surpris puisqu'il savait que le cardinal de Varsovie était atteint d'une maladie incurable depuis deux mois. Mais il regretta amèrement de ne point assister le 31 aux obsèques solennelles organisées sur la plus grande place de la capitale polonaise. Il y fut représenté par son nouveau secrétaire d'État, depuis le décès de Mgr Villot, Mgr Agostino Casaroli, qui assista à une cérémonie suivie par une foule immense que tous les Polonais purent regarder sur leurs écrans de télévision.

Jean-Paul II dans une de ses attitudes favorites. Bien calé sur son siège, face à la foule, il écoute attentivement discours et prières, vivant intensément ces moments de contact privilégié avec les fidèles.

Avant le retentissement de l'attentat, l'année 1981 fut également marquée par le premier tour du monde du pape. En février, il découvre l'Asie et effectue son premier véritable périple planétaire en passant par le Pakistan, les Philippines, Guam, le Japon et l'Alaska. C'est pour lui l'occasion de parler d'œcuménisme puisque deux des principaux pays visités – le Pakistan et le Japon –, sont des pays où la religion chrétienne est ultraminoritaire, voire absente. Dans une région où certains régimes se maintiennent par la force, la venue de Jean-Paul II est également l'enjeu de tentatives de récupération. Ce fut le cas aux Philippines, où devant l'insistance du président Marcos à vouloir utiliser la présence du souverain pontife dans ses actions anticommunistes, Jean-Paul II devra repréciser que ce voyage revêt, avant tout, à ses yeux un caractère religieux et pastoral et non pas politique.

L'ÉGLISE DE POLOGNE ET SOLIDARNOSC

L'union des syndicats polonais, présidée par Lech Walesa, constituée à Gdansk en septembre 1980 à la suite des grands mouvements de grève du mois d'août, reçoit immédiatement l'appui de la hiérarchie de l'Église de Pologne. Déjà, dès le 27 août, à l'instigation du cardinal-primat Stefan Wyszynski (1901-1981), le Conseil permanent de l'épiscopat publie un communiqué lu dans toutes les églises le dimanche suivant réaffirmant le droit des travailleurs à s'associer en syndicats, mais surtout dans l'organisation de leur choix. L'Église joua tout au long de la crise polonaise un rôle de premier plan (1980-1989). De son côté, Jean-Paul II ne cessera pas d'être informé de son évolution dans les périodes les plus chaudes, comme lors de l'instauration de l'état de guerre par le général Jaruzelski. Quand des minorités au sein de Solidarnosc ont été tentées de choisir une voie plus violente, l'Église, dirigée après la mort de Wyszynski par l'archevêque de Cracovie, Josef Glemp, joua un rôle modérateur mais ferme envers le pouvoir. Des laïcs catholiques ont joué un rôle clé dans le mouvement : ainsi, Tadeusz Mazowieki, rédacteur en chef d'un mensuel catholique, *Wiez*, anima le groupe des experts de Lech Walesa.

Par leurs mouvements de grève – la Pologne est le seul pays communiste d'Europe de l'Est à avoir une tradition de luttes sociales récurrentes depuis 1956 –, ils ébranlent le pouvoir du POUP et inquiètent leur puissant voisin, l'Union soviétique. En fondant un syndicat indépendant, Solidarnosc, les ouvriers établissent un contre-pouvoir intolérable et, dans un premier temps complètement

Le pape et la crise du monde communiste

« *Non avete paura !* » (« N'ayez pas peur ! ») avait-il déclaré lors de sa première messe officielle en tant que pape aux fidèles rassemblés le 22 octobre. Ces propos ont fait école : les ouvriers des chantiers navals de Gdansk, dirigés par un électricien du nom de Lech Walesa ont décidé de ne plus avoir peur dans leur relation avec l'État communiste.

La présence du cardinal polonais Karol Wojtyla à la tête de l'Église a joué un rôle décisif dans l'évolution récente du monde communiste. Sans lui, nul doute que la crise polonaise n'aurait pas été résolue avec si peu de «coût humain».

incontrôlable. L'ensemble des catholiques polonais soutient cette initiative à la tête duquel se trouve un de ses fidèles les plus enthousiastes : un père de famille nombreuse simple, courageux et particulièrement pieux. Le rapport de force établi entre le syndicat et le gouvernement polonais permet à Lech Walesa d'obtenir une autorisation de sortie du territoire polonais pour se rendre à Rome. Il est l'invité de la confédération des syndicats italiens et entame à ce titre un voyage de six jours dès le 13 janvier 1981. Tandis que la situation se tend en Pologne où Solidarnosc organise la semaine de cinq jours, Jean-Paul II reçoit son compatriote et, en quelques phrases, manifeste son soutien total à l'électricien de Gdansk en affirmant : « les hommes qui travaillent ont le droit de s'associer librement » et «l'activité des syndicats n'a pas un caractère politique». Ces deux affirmations justifient l'action des ouvriers polonais et définissent l'attitude du pape sur la question ouvrière : la revendication et la coalition des ouvriers ont pour but de défendre plus de justice.

L'année suivante, par deux fois en quelques jours, Jean-Paul II exprime des vues précises sur les récents événements polonais (la déclaration par le général Jaruzelski de l'état de guerre en décembre). Le 10 janvier 1982, il dénonce le «viol des consciences», puis il appuie le processus de négociations bipartites en cours entre l'État et l'Église polonaise. Le 16, tout en précisant que l'Église se place au-dessus des partis, il estime que tous les responsables devraient adopter une position claire : dénoncer tout ce qui porte atteinte à la libre expression de la volonté des nations. C'est une manière de dénoncer le caractère inique du partage du monde opéré à Yalta par les trois vainqueurs de la Seconde Guerre mondiale. Les «sphères d'hégémonie» dénoncées au Vatican sont clairement montrées du doigt et rendues responsables des conflits futurs. Lorsque, le 8 octobre de la même année, le pouvoir militaire polonais met hors la loi le syndicat ouvrier Solidarnosc, le 10, Jean-Paul II condamne fermement cette interdiction.

Dans les négociations qui s'éternisent entre l'épiscopat polonais et le pouvoir, la personnalité de Jean-Paul II est incontournable. Resté profondément patriote, il veut éviter que la nation polonaise ne se divise profondément et ne tombe dans l'anarchie ou dans la guerre civile. Quant à Jaruzelski, qui veut mettre au pas Solidarnosc, il désire utiliser ce nouveau voyage du pape pour «embarrasser» l'opposition et gagner du temps. Le 8 novembre 1982, Mgr Glemp et Jaruzelski fixent au mois de juin suivant la visite papale et le général accepte de libérer l'électricien Lech Walesa.

Ce voyage est attendu avec espoir et crainte. Jean-Paul II veut montrer à la Pologne que la voie choisie par l'Église est la bonne. Que celle-ci

Pour Lech Walesa, chaque rencontre avec Jean-Paul II est un moment de réconfort et de justification de son combat.

n'est pas seulement la voie chrétienne, mais la voie polonaise et qu'elle s'exprime par sa voix. Jamais peut-être Jean-Paul II ne s'est autant mis en avant. Le ton est donné dès l'arrivée du pape à l'aéroport de Varsovie. Lors de son premier discours, citant un poète polonais, il déclare à l'énorme foule présente : «Mon cri sera le cri de toute la Pologne.» Tous les rassemblements tenus à chaque messe ou apparition du pape sont autant des plébiscites pour Solidarnosc et Lech Walesa que pour Jean-Paul II. Ce qui avait été une concession accordée par Jaruzelski, pour s'attirer les bonnes grâces du clergé et maintenir un espace de négociations, se révèle vite une défaite médiatique sans précédent pour le chef d'État polonais. Devant la ferveur politique et populaire, les mises en garde des autorités ne servent à rien : pis, le pouvoir est contraint

de lever l'interdiction faite à Lech Walesa de quitter Gdansk pour que celui-ci ne puisse rencontrer le pape. Jaruzelski, devant l'engouement populaire en faveur de Karol Wojtyla, n'a d'autre solution que de se déplacer pour rencontrer le pape à Cracovie, le 22. Cracovie, l'ancienne capitale de Pologne, la ville des rois mais aussi celle du premier pape polonais. Ayant compris que la Pologne exigeait un changement, Jaruzelski cède quelque peu : l'état de crise succède à l'état de guerre. Petite concession, mais symbolique de la pression exercée par la visite du pape sur les esprits. Le troisième voyage en Pologne, qui se déroule en juin 1987, trouve la même résonance dans le pays, même si le pouvoir a relâché quelque peu son étreinte en libérant de nombreux prisonniers politiques. Mais ces mesures n'ont pas réconcilié le pays avec Jaruzelski, qui voit durant une semaine tous les rassemblements se transformer en un vaste plébiscite pour le syndicat indépendant Solidarnosc. De plus, à Gdansk, le souverain pontife prend ouvertement la défense du syndicat. Le chef de l'État polonais est contraint à boire le calice jusqu'à la lie lorsque quelques heures avant de prendre congé de son pays natal, Jean-Paul II se rend sur la tombe du père Jerzy Popieluszko, assassiné en 1984 par des membres de la police politique. Le mécontentement exprimé par le général n'y fera rien, le pouvoir a perdu une nouvelle bataille. Le pape, comme à chacun de ses voyages, sert de caisse de résonance aux militants de Solidarnosc.

En 1989, les mesures prises en Union soviétique par Mikhaïl Gorbatchev aboutissent à la libéralisation rapide de certains régimes communistes et surtout à la disparition du rideau de fer qui traverse l'Europe. Une évolution impensable quelques mois plus tôt et pourtant devenue inexorable qui voit l'écroulement d'un système politique. Signe de cette victoire, la

L'ÉGLISE CATHOLIQUE DE RITE BYZANTIN

En mars 1990, Jean-Paul II règle la question de succession à la tête de l'Église uniate d'Ukraine, cette Église catholique basée en Ukraine mais dont la dias-pora dans le monde entier a essaimé plusieurs archevêchés, en particulier aux États-Unis. C'est d'ailleurs un archevêque d'Amérique qui est appelé à succéder à l'archevêque majeur de Lvov, Mgr Josep Slipyj qui était en exil à Rome après dix-sept longues années passées au goulag pour ses responsabilités à la tête de cette Église du silence. Le nouveau chef de cette Église orientale rattachée à Rome est l'archevêque de Philadelphie (États-Unis), Mgr Lubachivsky.

visite que le secrétaire du PCUS rend au pape le 1er décembre 1989. Durant une heure et quinze minutes, les deux hommes s'entretiennent de l'évolution rapide de l'Est européen. Jean-Paul II parle avec vigueur de la situation religieuse en URSS et Gorbatchev lui donne des assurances sérieuses sur l'adoption prochaine d'une loi garantissant la liberté religieuse. Il demande également la liberté de conscience et de culte pour tous les chrétiens d'URSS et, en particulier, pour tous ces uniates ukrainiens, que Staline a rattachés de force à l'Église orthodoxe. Cette rencontre extraordinaire est rapidement suivie de nouvelles visites qui constituent, à chaque fois, des premières : en avril 1990, deux jours après le rétablissement des relations entre le Vatican et la Tchécoslovaquie, le pape se rend à Prague ; trois ans plus tard en 1993, en Albanie. En 1996, c'est le tour de la Slovénie.

Jean-Paul II et le monde slave

Du fait de ses origines polonaises, Jean-Paul II a parfois été critiqué pour son profond engagement dans les affaires de l'Europe de l'Est. Critiques le plus souvent infondées parce que signes d'une grande incompréhension de la vision stratégique du pape. Européen convaincu – il a à plusieurs reprises exprimé son soutien à l'unification européenne comme possibilité historique de dépasser les haines ataviques –, Jean-Paul II est pour une Europe gaullienne, de l'Atlantique à l'Oural. Aussi pour lui, l'Est de l'Europe doit prendre toute sa place dans le dessein européen. Il fonde un grand espoir dans une stratégie qui recollera l'Europe au-

Jean-Paul II se recueillant devant la tombe de Jerzy Popieluszko.

delà du rideau de fer. Sous sa conduite, l'Église a intégré cette stratégie. Il a rapidement voulu donner des responsabilités à des évêques venant de l'Est et a beaucoup bataillé avec les autorités soviétiques pour redynamiser la pratique religieuse. Pour lui, les Églises de l'Est ne sont pas du tout des Églises du silence. Depuis son accession, Jean-Paul II considère que ces Églises parlent haut et fort par sa voix.

L'année 1985, est à ce propos, importante. L'occasion lui est fournie par la célébration du onzième centenaire de la mort des saints Cyrille et Méthode. Plusieurs initiatives se succèdent en juin-juillet 1985. Le 2 juin, Jean-Paul II rend publique sa quatrième encyclique *Slavorum apostoli*, dans laquelle il se livre à un plaidoyer pour l'unité chrétienne de l'Europe et l'œcuménisme entre catholiques et orthodoxes. La semaine suivante, le pape envoie son numéro 2, Mgr Casaroli, assister à des

manifestations dans les deux pays de l'Est, la Yougoslavie et la Tchécoslovaquie, où les deux apôtres avaient converti les peuples slaves au VIIIe siècle. Si la première manifestation, à Djakovo, en Croatie, se déroule dans le calme, la seconde à Velehrad, en Moravie, donne lieu à des incidents révélateurs de la situation explosive régnant dans les pays de l'Est. Alors que l'Église catholique connaît une répression particulièrement sévère depuis les années 1950, par centaines de milliers, Tchèques et Slovaques (au lieu de pèlerinage de Levoca) se réunissent en plusieurs points du pays. Ces célébrations constituent les manifestations les plus importantes jamais organisées sous le pouvoir communiste. À Velehrad, le ministre de la Culture tchèque est même conspué lorsque, dans son discours, il dénie tout caractère religieux à la manifestation tentant, plutôt mal que bien, de rattacher exclusivement l'hommage rendu aux saints Cyrille et Méthode à la tradition nationale.

La question sociale dans le message de Jean-Paul II

La question sociale et ouvrière est très présente dans l'apostolat de Jean-Paul II. Avec le devenir de la famille et le nécessaire dialogue avec toutes les religions, elle apparaît au centre des préoccupations du Saint-Père. Pas moins, jusqu'à présent, de trois encycliques ont été consacrées à cette question. La dernière en date remonte à 1991. Le 1er mai, Jean-Paul II public *Centesimus annus* évoquant le centenaire de l'encyclique

La Vierge Marie, objet d'une dévotion de tous les instants.

Rerum novarum. Écrite sitôt après l'écroulement du système soviétique, elle prend acte de l'échec historique du marxisme à être une alternative viable et libératrice au capitalisme. Mais le pape, de par son expérience sait également qu'il doit émettre des réserves quant à la victoire qui n'a rien d'inéluctable, ni de permanent, d'un régime qui est fondé sur la recherche effrénée du profit : le libéralisme. Il affirme que l'exploitation peut être régulée par l'intervention de l'État mais aussi par celle des ouvriers eux-mêmes organisés en syndicat.

Cet éloge de la liberté des peuples à vivre selon leurs propres traditions et en toute indépendance est souvent répété par Jean-Paul II. Il le réitère lors de son premier déplacement important effectué après l'attentat de mai 1981. En février 1982, lorsqu'il se rend pour la deuxième fois en Afrique, plus particulièrement au Nigeria (12-16 février), il déclare solennellement : « Toute l'Afrique, quand on la laissera gérer ses propres affaires [...], étonnera le monde [...] et fera partager aux autres continents sa propre sagesse, son sens de la vie et son respect de Dieu. »

LA VIERGE MARIE À FATIMA

Fatima est le nom d'un village du Portugal, près duquel, le 13 mai 1917, trois jeunes gens affirmèrent avoir été témoins d'apparitions de la Vierge Marie : Lucie dos Santos, âgée de 10 ans (qui deviendra carmélite), et ses cousins, François et Jacinthe Marto (respectivement âgés de 9 et 7 ans), voient la Vierge sur un chêne vert ; elle leur demande de venir la visiter cinq fois dans les mois qui suivent. En juillet, devant une foule nombreuse, elle fait la promesse d'un grand miracle. En octobre, devant 70 000 personnes, elle fait sa dernière apparition. Ce même jour se produit un phénomène surnaturel, « la danse du soleil » : l'astre descend vers la Terre en tournoyant.

Au cours de ses apparitions, la Vierge invite les pèlerins à faire pénitence, en vue d'obtenir la paix dans le monde et la conversion de la Russie. En 1930, l'évêque du lieu autorise la célébration d'un culte à Fatima. Le sanctuaire de Fatima, érigé non loin du village, attire, chaque année, un nombre impressionnant de pèlerins.

L'action pour la paix

En mai 1982, lors de son voyage au Portugal, alors qu'il se rend à Fatima, le pape est, presque un an jour pour jour après l'attentat d'Ali Agça, l'objet d'une seconde tentative d'assassinat : l'agresseur est un prêtre intégriste, Juan Fernandez Krohn, qui, armé d'un couteau, s'est approché du pape, mais sans l'atteindre. Cet attentat manqué n'empêche pas Jean-Paul II de continuer son voyage et de rencontrer le lendemain la dernière survivante du miracle de Fatima, Lucie. De ce lieu de pèlerinage qui lui tient tant à cœur, Jean-Paul II lance un appel à la paix dans le monde en même temps qu'il consacre et dédie la planète et les hommes à la protection de la Vierge Marie.

Cette paix, l'Église y contribue de diverses manières. Tout d'abord comme État et autorité morale vers laquelle des belligérants chrétiens peuvent se retourner pour être aidés à trouver une solution à travers un arbitrage précis. C'est ainsi qu'en 1982, le président de la République du Portugal, le général

LES RELATIONS ANGLETERRE-VATICAN

Le rétablissement des relations entre l'Église anglicane et le Saint-Siège a été initié par les travaux de la commission internationale anglicane-catholique, constituée à Rome en 1966 sur décision conjointe de Paul VI et de l'archevêque de Cantorbéry, Michael Ramsay. Cette commission a remis en septembre 1981 un rapport final aux chefs respectifs des deux Églises : Jean-Paul II et Robert Runcie. Publié le 31 mars 1982, ce rapport établit que les deux Églises sont parvenues à un consensus théologique. Les hiérarchies envisagent avec optimisme un rapprochement qui aura lieu peut-être au cours du prochain IIIe millénaire.

Eanes, demande au souverain pontife de devenir le médiateur officiel entre le Portugal et l'Indonésie, à propos du conflit qui oppose les deux pays concernant l'avenir de Timor-Oriental. Plus concrètement encore, en 1984, le Vatican a permis à l'Argentine et au Chili de mettre fin au différend frontalier qui les opposait depuis 1881 sur la possession de plusieurs îlots situés dans le canal de Beagle, entre la Terre de Feu et le cap Horn. Une longue négociation avait abouti en 1979 à la définition par le Vatican d'une proposition qui a finalement été ratifiée par l'accord signé à Rome le 18 septembre 1984.

Quand Jean-Paul II rencontre la reine Élisabeth II d'Angleterre, il s'entretient avec un chef de religion pas comme les autres, en l'occurrence le chef de l'Église anglicane.

L'Église peut également contribuer à la paix en prolongeant ses principes de rapprochement œcuménique. C'est le cas avec le règlement des relations entre la Grande-Bretagne et le Vatican, qui trouvent leur point d'orgue avec la visite du pape en Grande-Bretagne du 28 mai au 2 juin 1982. Cette visite historique (depuis cinq siècles aucun souverain anglais n'avait rencontré de pape) a été préparée par l'élévation le 16 janvier au rang d'ambassade et de nonciature les représentations diplomatiques des deux pays. Si des représentations

LES DROITS DE L'HOMME

En 1984, le discours papal sur les droits de l'homme s'enrichit d'une problématique plus économiste. C'est le cas lors de sa longue visite en Amérique du Nord, en particulier au Canada. Attentif aux spécificités historiques de ses interlocuteurs, il n'hésite pas à faire de la foi une base de la résistance à la modernité. Son refus de faire de la politique n'empêche pas le pape dans la plupart de ses interventions de prôner une troisième voie en matière de politique économique : une restructuration économique assez efficace afin que les besoins humains prennent le pas sur le profit financier. «À la lumière des paroles du Christ, le pauvre Sud jugera le riche Nord.» Il confirme ces propos lors de son voyage en république Dominicaine, le 11 octobre, au cours duquel il «approuve l'option préférentielle pour les pauvres » prise par l'Église catholique mais réitère son rejet de la lutte des classes et de la violence politique comme moyens de combattre l'injustice sociale.

réciproques avaient été créées en 1914, cela faisait 450 ans que le roi d'Angleterre Henry VIII, mécontent d'avoir été excommunié par le pape après qu'il eut divorcé sans le consentement de ce dernier, avait rompu toute relation avec Rome et décrété la constitution de l'Église d'Angleterre à la tête de laquelle il se plaça.

Cette visite a eu lieu pendant la guerre des Malouines – des Falklands, pour les Britanniques –, qui opposa l'Argentine à la Grande-Bretagne à propos de la possession d'un archipel situé à plusieurs centaines de kilomètres des côtes argentines et qui appartient à la Grande-Bretagne depuis 1833. Le pape a décidé, à cette occasion, de ne pas rencontrer le Premier ministre Mme Thatcher et de visiter un

mois plus tard l'Argentine pour contribuer à trouver une solution à ce conflit. Débarquant à Buenos Aires le 11 juin, le pape lance des appels vibrants à la paix alors que les Britanniques s'apprêtent à lancer une attaque décisive, le 12, sur Port-Stanley pour reconquérir l'archipel. Le Vatican jouera un rôle non négligeable dans les contacts entre les deux parties.

Une des manières de ramener la paix et d'éviter les affres de la guerre aux générations futures, c'est bien évidemment aussi la défense du rayonnement de l'Europe, le seul continent dont le socle culturel et anthropologique est chrétien. Aussi n'est-il pas étonnant de voir le pape lors de son voyage en Espagne, du 31 octobre au 9 novembre 1982, souligner l'importance de l'acte final de la conférence d'Helsinski sur la défense des droits de l'homme.

Pour le président Jacques Chirac, une visite au Vatican revêt à la fois un caractère officiel et privé.

De l'usage diplomatique des audiences papales

Autre manière d'intervenir dans toutes les affaires du monde qui font l'actualité : la réception de personnalités impliquées dans des conflits. C'est à cette occasion que l'on mesure la dimension symbolique de tels gestes. Toute rencontre

Jean-Paul II en compagnie du président américain Bill Clinton. Ce dernier a été profondément impressionné par le sens de l'anticipation politique du souverain pontife.

avec le pape revêt une importance capitale et confère au visiteur une reconnaissance qui peut susciter malentendus et incidents diplomatiques. Ce fut le cas dans le cadre du conflit israélo-arabe, lorsque Jean-Paul II reçut le leader palestinien Yasser Arafat, le 15 septembre 1982. Celui-ci était invité comme observateur dans le cadre de la conférence mondiale de l'union interparlementaire qui se déroulait à Rome. Dès le 12, le Premier ministre israélien qualifia de choquante cette initiative – alors que les discussions de paix initiées par Reagan prenaient forme – qui donnait au combat des Palestiniens une reconnaissance au niveau international.

Jean-Paul II et l'Amérique latine

La destination et le sens des voyages apostoliques et œcuméniques sont toujours soumis à des analyses très serrées qui leur donnent un sens dépassant la simple pastorale chrétienne à laquelle le souverain pontife est particulièrement attaché et sous la bannière de laquelle il effectue ses nombreux déplacements. Ces derniers lui sont indispensables pour toucher concrètement la réalité et la profondeur de la foi des chrétiens dans tous les pays et pour apprécier à travers sa personne l'intérêt exprimé par les populations pour le message évangélique. À cet égard, les voyages en Amérique centrale et du Sud apparaissent des plus contradictoires. Continent catholique, l'Amérique latine est profondément marquée par les atteintes aux droits de l'homme. Durant les années 1980, l'Église est divisée et Jean-Paul II ressent en 1983 la nécessité d'une remise en ordre. Il met en garde les tenants de la théologie de la libération : à San José de Costa Rica, il invite le clergé latino-américain à repousser toute tentation de faire de la politique. L'Église, de par sa nature, rejette les valeurs matérialistes du « capitalisme comme celles du collectivisme».

Pour un de ses opposants, le père franciscain brésilien Leonardo Boff, le Vatican a choisi le camp le plus conservateur de l'épiscopat.

Conscient du danger, Jean-Paul II ne veut pas apparaître comme l'otage des dictatures. Au Guatemala, il demande, au nom de l'Église, au général Rios Montt «une législation qui protège efficacement les Indiens» ; au Nicaragua, il condamne les sandinistes au pouvoir, qui tentent de créer une Église populaire contre la hiérarchie locale, sachant par expérience, ce que cela signifie pour l'indépendance de l'Église.

Toutefois, en 1986, le Vatican publie le 5 avril, sous l'autorité de la Congrégation romaine pour la doctrine de la foi une *Instruction sur la liberté chrétienne et la libération*. Destinée à compléter l'encyclique *Populorum Progressio* édictée en 1967 par Paul VI, cette instruction constitue une évolution sensible des positions de l'Église par rapport aux théologiens favorables à la théologie de la libération. Elle s'avère moins critique et semble admettre – et non pas accepter – sinon les conclusions tirées par Leonardo Boff, du moins les présupposés qui sonnent comme une critique des hiérarchies locales. Parmi les «armes» dont disposent les hommes contre les tyrannies, l'instruction n'exclut pas comme «recours ultime» l'usage des armes, tout en lui préférant la résistance passive. Les visites papales donnent lieu à de vifs échanges parfois très délicats. Ce fut le cas lors du voyage effectué au Chili, toujours gouverné par le général Pinochet, en avril 1987. Ayant clairement annoncé qu'il effectuait un voyage dans un pays dont le gouvernement était «dictatorial, mais transitoire», son apparition au balcon du palais de la Moncda en compagnie du dictateur, qui put ainsi récolter sa part d'applaudissements, ne correspondait certainement pas à l'attente des milliers de catholiques chiliens et de

leur épiscopat très critiques vis-à-vis du régime. Mais l'usage de la visite du pape à des fins domestiques par le président Pinochet redonna de la voix à l'opposition. Tous les rassemblements lors du passage du souverain pontife se transformèrent en manifestations hostiles au régime. La simple protestation pacifique déboucha sur des affrontements, plus particulièrement le 3, lorsque le pape concélébrait une messe en plein air sur une des principales places de la capitale chilienne, la place O'Higgins. Les affrontements durent pendant toute la messe, le service d'ordre et les prêtres ne peuvent empêcher de violents combats qui font environ 600 blessés. Fidèle à son parti pris d'ignorer les contingences politiques, Jean-Paul II a rencontré tous les chefs des partis d'opposition, même un dirigeant du parti communiste.

Son voyage au Paraguay, en mai 1988, lui donna également l'occasion de permettre à l'opposition de faire entendre sa voix, le plus souvent muselée, voire interdite par la dictature impitoyable et souvent sanglante du général Stroessner. Chaque voyage est pour le pape l'occasion de rencontrer tous les représentants

Avec le roi d'Espagne, Juan Carlos Iᵉʳ, Jean-Paul II trouve un interlocuteur attentif.

autorisés de la société civile. À Asuncion, il n'hésita pas à rappeler ce qui n'existe pas dans le pays : le respect des droits de l'homme que les dirigeants se doivent de mettre en œuvre.

Une Église en perpétuelle réforme

Pour l'opinion publique, cette implication du pape dans les affaires intérieures des pays est sujette à controverses et cache l'importance d'autres tâches tout aussi cruciales pour l'avenir de l'Église que sont la réforme de la Curie et la révision du droit canon. Tous ces travaux collégiaux donnent lieu à d'importantes publications. C'est ainsi que le 5 janvier 1983, Jean-Paul II annonce la réunion d'un consistoire le mois suivant au cours duquel il nommera 18 nouveaux cardinaux. Parmi ceux-ci, les vaticanologues remarquent la présence de l'archevêque de Paris, Jean-Marie Lustiger, du primat de Pologne, Josef Glemp et du premier ressortissant de l'Union soviétique à être élevé à la dignité de cardinal : Mgr Julijans Vaïvods, l'administrateur apostolique de Riga et de Liepaja (république de Lettonie, alors en Union soviétique). Plus important encore, le 25, le pape promulgue le nouveau code de droit canon dont la révision avait été décidée par Jean XXIII en 1963 et confirmée par Paul VI en 1965. Destiné à être appliqué à partir de novembre 1983, soit le premier jour de l'Avent, ce texte vise à mettre la législation ecclésiastique en accord avec les principes adoptés lors du concile Vatican II, en particulier l'élargissement du rôle des femmes(jugé trop timide depuis).

L'année suivante, le 9 avril 1984, Jean-Paul II poursuit sa politique de réforme du fonctionnement de la Curie. Il décide de renforcer les pouvoirs de la secrétairerie d'État. Mgr Casaroli est chargé désormais, en plus de ses fonctions traditionnelles, de gérer le Vatican. Il annonce également quelques remaniements de personne qui montrent sa volonté d'internationalisation des responsabilités : le cardinal béninois Bernardin Gantin, qui dirigeait la commission justice et paix et le conseil *Cor Unum*, est nommé à la tête de la congrégation des évêques, un des postes les plus importants de l'administration de l'Église à la place de Sebastiano Baggio. Jean Paul II impose l'enthousiasme de l'Afrique à la tête de la Curie.

Ayant commencé sa carrière apostolique sous le signe de Vatican II, Karol Wojtyla, devenu pape, se doit d'en faire le bilan. Sept ans après son élection, les réformes issues de Vatican II font l'objet d'un synode extraordinaire destiné à tirer les enseignements de l'entreprise conciliaire (24 novembre-9 décembre 1985). Les 165 pères auront chacun 8 minutes pour dresser le bilan de l'application du concile et pour réfléchir sur l'avenir de l'Église. À l'issue des débats, les évêques se déclarent d'accord pour «approfondir l'esprit de Vatican II» afin de faire face aux nouveaux défis du monde. Si ce document ne révèle aucune décision pratique concernant le dogme (le synode annonce la prochaine élaboration d'un exposé complet de la foi sous la forme d'un catéchisme universel paru en 1994), il laisse présager de

AGOSTINO CASAROLI

Quand Jean-Paul II décide de choisir Agostino Casaroli comme secrétaire d'État, ce dernier est déjà dans la place depuis de nombreuses années. Né le 23 novembre 1927, diplômé du séminaire de Plaisance, il devient déjà, à ving-six ans, archiviste à la secrétairerie d'État. Ensuite, il passe à la section latino-américaine de ce même organisme. Apprécié de Jean XXIII, il est envoyé en tant que porte-parole du Saint-Siège à diverses conférences internationales. Peu à peu, il se spécialise dans les négociations avec les régimes communistes d'Europe de l'Est. Paul VI continue à charger Casaroli des affaires diplomatiques du Vatican. Il le nomme archevêque titulaire en 1967. Jean-Paul II admire en lui ses qualités d'habile diplomate et de travailleur acharné ; Casaroli est nommé à la tête de la secrétairerie d'État le 30 avril 1979, et reçoit le titre de cardinal.

L'ONU, à New York, est une tribune privilégiée pour adresser le message de paix des chrétiens.

nouvelles relations entre le centre et la périphérie : les évêques sont chargés de revoir le statut des conférences épiscopales afin de déterminer plus précisément le champ d'action des Églises locales.

Toutefois, sur le problème de la place des laïcs dans l'Église catholique, l'attitude des évêques reste assez traditionnelle. L'ouverture et la co-responsabilisation des laïcs dans le fonctionnement de la communauté ecclésiale sont rendus cruciaux et difficiles à régler du fait des revendications féministes de plus en plus radicales. Sur ce point le synode d'octobre 1987 est inflexible : une mesure transitoire comme celle d'accorder le statut de diaconnesse aux femmes est repoussé. Les espoirs et la renaissance de la pratique religieuse, qui ont été soulevés et induits par l'initiative de Jean XXIII, poursuivie par Paul VI, n'ont pas seulement donné naissance à des réactions de refus, comme celle des intégristes de Mgr Marcel Lefebvre. Ils ont également été considérés comme pas assez novateurs dans certaines communautés catholiques appartenant à des pays profondément engagés dans une transformation radicale des mentalités, comme les Pays-Bas. Rien de commun entre la spiritualité liée au culte marial des Polonais et les interrogations de certains membres du clergé hollandais concernant, par exemple, le mariage des prêtres ou l'ordination des femmes à la prêtrise. Un voyage du Saint-Père sur les terres de l'aggiornamento le plus radical au sein de l'Église catholique permit, en 1985, de servir de test pour estimer les qualités de dialogue de Jean-Paul II. Ce voyage était déjà rendu très difficile par la mobilisation importante des médias contre la

La célèbre papamobile, offerte par les Mexicains pour faciliter les nombreux déplacements du pape à travers le monde.

Mgr Marcel Lefebvre

L'un des opposants les plus irréductibles aux courants d'adaptation du message de l'Église à la société contemporaine, est, sans conteste, Marcel Lefebvre. C'est tout du moins celui qui a été le plus loin dans son combat puisqu'il a été excommunié. Né en France, à Tourcoing (Nord) en 1905, Marcel Lefebvre est nommé archevêque de Dakar, au Sénégal (qui faisait alors partie de l'Afrique occidentale française [AOF]) en 1948. Diamétralement opposé aux réformes décidées lors du concile Vatican II et à la poursuite par Paul VI de l'œuvre de Jean XXIII, il fonde, en 1970, la Fraternité sacerdotale Saint-Pie X. Et en 1971, il inaugure un séminaire à Écone, dans le Valais suisse pour y former ses propres prêtres. Devenu le chef du courant intégriste, il développe l'idée du maintien des traditions rituelles (port de la soutane, messe en latin, etc.). Plusieurs fois menacé d'être suspendu de ses fonctions, il se voit excommunié le 2 juillet 1988, pour avoir consacré quatre évêques sans mandat du souverain pontife, violant ainsi les règles du droit canonique. Mgr Lefebvre est mort en 1991.

venue d'un pape coupable d'être un conservateur invétéré. Ce sentiment est même partagé à la tête de l'État néerlandais et exprimé de manière diplomatique par le Premier ministre, un catholique, Ruud Lubbers. Celui-ci emploie adroitement le terme de « circonspection, voire de défense » pour ne pas en dire plus sur le sentiment de frustration que suscite Rome dans ce pays. Si ce voyage donne lieu, pour la première fois, à des affrontements violents entre jeunes contre-manifestants et policiers, Jean-Paul II s'adapte à la situation en privilégiant l'écoute, répondant simplement aux différentes questions, qui cette fois ne lui viennent pas de la hiérarchie mais de la base, des fidèles et plus particulièrement des femmes, qui désirent jouer un rôle plus important dans la délivrance du message évangélique. Ce voyage commencé sous les quolibets aux Pays-Bas, s'achève, comme à l'accoutumée, dans la liesse, au Luxembourg et en Belgique.

Défenseur de Vatican II contre l'intégrisme

Parfois critiqué pour ses complaisances affichées pour des épiscopats conservateurs, Jean-Paul II a néanmoins tenu à éviter que des schismes affaiblissent

l'Église alors que celle-ci prend le grand virage de l'œcuménisme. L'œuvre de Vatican II a été mal perçue par un certain nombre de fidèles et de prêtres. Le refus obstiné d'accepter un message évangélique adapté aux conditions modernes, s'est exprimé dans la personne de Mgr Marcel Lefebvre. Ayant fondé la Fraternité sacerdotale Saint-Pie X en 1970, celui-ci s'était donné pour objectif de regrouper tous les tenants de la tradition. Resté très minoritaire dans l'Église, il tente de constituer une Église indépendante en décidant, en juin 1988, d'ordonner des évêques sans l'accord du pape. Une telle décision ne peut provoquer qu'une réponse sans appel de Jean-Paul II : l'excommunication. Le lendemain de cette décision, le 16 juin, le pape adresse un *monitum* (avertissement solennel) qui annonce à Mgr Lefebvre que s'il met en pratique l'ordination, il sera excommunié.

À Assise, en 1986, la réunion de tous les chefs religieux du monde.

Malgré les exhortations des conférences épiscopales de France, d'Allemagne et de Suisse, où se recrutent la plupart des partisans de l'évêque intégriste, le 30, au séminaire d'Écône, dans le Valais, Mgr Lefebvre passe outre et consacre quatre évêques devant 150 prêtres traditionalistes et plusieurs milliers de personnes. Le 2 juillet, les cinq évêques sont excommuniés. Ne voulant pas d'un schisme, le pape demande aux évêques de faciliter le retour dans la famille chrétienne des traditionalistes afin de «garantir le respect de leurs justes aspirations».

Jean-Paul II et l'œcuménisme

Le travail œcuménique donne souvent lieu à des moments forts. Ainsi en est-il des relations entre musulmans et chrétiens. Pour cela, Jean-Paul II n'hésite pas à

aller sur le terrain pour y dispenser le message de tolérance et de nécessaire confrontation avec les autres grandes religions monothéistes. Ainsi, en août 1985, à la fin de son troisième voyage en Afrique – au cours duquel il visite également, au Togo, un haut lieu de spiritualité partagé entre animistes et chrétiens –, il se rend au Maroc, invité par le souverain chérifien, Hassan II, commandeur des croyants. Accueilli à Casablanca par le roi et le prince héritier, il a l'occasion de délivrer un message fraternel pour le dialogue devant 80 000 auditeurs réunis dans le grand stade de football de l'importante cité marchande marocaine.

La recherche œcuménique de Jean-Paul II ne signifie pas une approche destinée à gommer les aspérités entre les différents dogmes ou bien les différentes pratiques sociales sanctifiées par ces mêmes dogmes. C'est ainsi qu'à plusieurs reprises, Jean-Paul II dénonce, à l'occasion de ses voyages en Afrique, la polygamie comme contraire à la dignité de la personne humaine. Sur ces questions comme sur d'autres, la fidélité par exemple, le message de l'Église est délivré dans toute sa rudesse, sans concession aucune aux traditions locales (discours de clôture du 43ᵉ congrès eucharistique international de Nairobi et consacré, entre autres, au thème de «l'Eucharistie et la famille chrétienne», en août 1985).

Mais la grande affaire du pontificat de Jean-Paul II, pasteur à l'échelle de la planète, présent par ses voyages sur les cinq continents, c'est bien évidemment le dialogue avec toutes les spiritualités, religions révélées ou non, mo-

L'ŒCUMÉNISME

L'action du pape Jean XXIII est à l'origine de ce mouvement, dont l'objectif, à caractère universel, est le rassemblement de toutes les Églises en une seule, et ainsi d'éviter les conflits entre les différentes croyances. En effet, les papes multiplient les contacts avec les non-catholiques et les non-chrétiens, selon les nouveaux principes d'ouverture et de modernisation de Vatican II. En janvier 1964, Paul VI rencontre à Jérusalem le patriarche de Constantinople, Athênagoras, traduisant ainsi le désir de l'Église catholique de se rapprocher des autres Églises chrétiennes, et particulièrement de montrer un changement de mentalité de la part de Rome à l'égard des Églises orientales. Le 21 novembre 1964, les textes du schéma *De œcumenismo* sont votés par les pères du concile. Au fil des années, l'œcuménisme se manifeste d'une manière de plus en plus vivante. Le Conseil œcuménique des Églises, dont l'audience et la composition ne cessent de s'agrandir, joue un rôle fondamental. En 1985, l'assemblée de Nairobi rassemble plus de 300 Églises.

nothéistes ou pas. Trouver un point commun à toutes les formes de pensée religieuse est facile, car si un mot s'impose dans toutes les langues du monde sans ambiguïté aucune, c'est bien celui de paix.

D'autant que 1986 avait été choisie par l'Organisation des Nations unies pour être proclamée «Année de la paix». Afin de donner une référence concrète à ce dialogue, le Saint-Père organise donc cette année-là une rencontre interreligieuse à Assise, en Italie, en ce lieu où saint François, au XIVᵉ siècle, commença sa prédication. L'invitation avait été faite dès le 25 janvier et, le 27 octobre près de 200 membres de douze grandes religions et 63 chefs religieux représentant trois milliards d'individus ont communié dans une même pensée. Pour donner plus de relief à cette manifestation, le pape a lancé l'idée d'une trêve complète des combats dans le monde, renouvelant les efforts faits au Moyen Âge par les évêques pour discipliner les ambitions des chevaliers avides de pouvoir et de richesses aux dépens des plus faibles par l'instauration de la trêve de Dieu. Mais ces dernières années, si le discours œcuménique est constant dans la plupart des interventions papales, en particulier dans tous les voyages qu'il fait dans des pays à faible tradition catholique, ses effets sont moindres, surtout en Europe de l'Est, où le zèle missionnaire de Jean-Paul II inquiète profondément les patriarches orthodoxes. Ceux-ci ressentent l'activisme wojtylien comme une concurrence déloyale (certains d'entre eux refuseront par exemple de participer au synode spécial de décembre 1991 consacré à l'Europe face à la crise éthique).

Vingt-quatre heures de la vie d'un pape

Le pape, comme tous les grands de ce monde, doit faire face à un grand nombre de responsabilités et tenir de multiples engagements. Ces derniers ne se prennent parfois pas sans mal, et certains pontifes, dont Paul VI et surtout Jean-Paul Ier, par exemple, furent à plusieurs reprises dépassés par leurs tâches. Bien que très entouré et perpétuellement sollicité, le pape doit aussi supporter une extrême solitude. Il trouve alors dans la prière une force qui lui sert à réunir énergie et confiance en soi. Jean-Paul II possède une manière toute particulière de se recueillir, comme l'explique Mieczyslaw Malinski, son complice de toujours, dans son livre *Mon ami Karol Wojtyla* : « Quand il était archevêque de Cracovie, il priait dans cette position qui lui est propre, penché en avant, la tête posée sur une main, les paumes lui couvrant le visage, ou posée sur ses deux mains ».

Le matin

La journée du pape commence avant le lever du soleil, puisqu'il s'éveille à 5 h 30 ; il utilise toujours les agrès de la salle de gymnastique qu'a fait installer Paul VI dans les appartements privés. À ces exercices quotidiens de mise en forme s'ajoutent des séances de rééducation, qui se sont avérées obligatoires à la suite de ses accidents. Ensuite, il se rend à la chapelle pour se recueillir, passage nécessaire avant la messe, qui est célébrée à 7 h. Mgr Stanislas Dziwisz, son secrétaire particulier, et les servantes du Sacré-Cœur de Cracovie, qui s'occupent des travaux domestiques du pape, y assistent tous les jours. Jean-Paul II utilise différentes langues pour célébrer la messe : le latin, bien sûr, mais

Jean-Paul II profite de tous les instants libres pour se recueillir. Aux prières du matin ou du soir, il n'est pas rare de voir le souverain pontife s'isoler brusquement pour prier et méditer.

aussi l'italien et le polonais. Quelques invités ont parfois l'honneur d'y assister, et sont ensuite conviés, dans la bibliothèque, à saluer le Saint-Père. À l'issue de la messe, le pape prend son petit déjeuner, parfois en compagnie de ses invités, mais toujours avec ses secrétaires et des cardinaux. Le menu est toujours très simple ; il se compose de lait, de café, de fromage et de confiture, sans oublier les «rosettes», ces petits pains qui tirent leur nom de leur partie supérieure en forme de rose. Après s'être tenu au courant de l'actualité, le pape se lève de table une demi-heure plus tard, et travaille jusqu'à 11 heures dans ses appartements privés, situés aux deux derniers étages de l'aile orientale du palais. Ensuite, il se rend à la bibliothèque privée, le lieu des audiences officielles ; depuis dix-sept ans, tous les grands du monde ont défilé dans cette salle. Il n'est pas rare que ces entretiens ne se limitent pas aux quatre murs de la bibliothèque, mais se poursuivent pendant le déjeuner ; si ses prédécesseurs prenaient leur repas seuls, Jean-Paul II, lui, utilise ces instants comme une réunion de travail.

L'après-midi

Au cours de l'après-midi, le Saint-Père prend un peu de repos, puis entame une promenade méditative, la plupart du temps sur la terrasse de son palais, son bréviaire à la main ; durant les premières années de sa charge, le pape appréciait de se promener dans les jardins du Vatican. Hélas ! les différents ennuis de santé et surtout l'attentat dont il a été victime l'ont obligé à renoncer à ce plaisir. Vers le milieu de l'après-midi, Jean-Paul II reprend son travail : nouvelles audiences avec ses collaborateurs et multiples travaux d'écriture.

Le soir

La partie officielle de la journée du pape s'achève avec le dîner, le rosaire et les complies. Mais le pape n'en a pas terminé pour autant :

Jean-Paul II a beaucoup frappé les esprits par sa passion pour les exercices physiques : football, ski, natation. Au soir de son existence, le pape ne résiste jamais à l'idée d'effectuer une marche, ici dans les Dolomites italiennes, moment d'effort mais aussi de méditation.

lettré accompli, il se plonge alors dans la lecture de l'un des nombreux livres qu'il a commencé ; ses penchants littéraires sont très variés : saint Augustin, saint Thomas d'Aquin, mais également le poète américain Walt Whitman, Rainer Maria Rilke, Dostoïevski, parmi tant d'autres écrivains.

Quand il était jeune prêtre, Karol Wojtyla s'imprégnait surtout des poètes romantiques polonais, notamment du plus grand d'entre tous, celui qui symbolise, à lui seul, la conscience nationale et le grand transport lyrique slave, Adam Mickiewicz (1798-1855), dont il s'inspira certainement pour écrire ses propres vers et qui contribua à forger son talent d'orateur, utilisant la puissance des mots comme un allié pour son incessant combat. Il aime encore aujourd'hui s'y ressourcer.

Les encycliques de Jean-Paul II

D'après l'étymologie, l'expression *litterae encyclicae* désigne des lettres circulaires. Les encycliques forment une catégorie particulière des lettres apostoliques. Elles ont pour caractéristique majeure de s'adresser aux évêques et à l'ensemble du peuple chrétien. Elles servent à condamner les erreurs de dogme, à promulguer les valeurs de la doctrine sainte, à mettre en avant des personnages servant d'exemple, comme la Vierge Marie entre autres. Depuis Jean XXIII, elles s'adressent également aux non-chrétiens. Traditionnellement, elles sont désignées par leurs deux ou trois premiers mots.

La première encyclique date de 1740, sous le pontificat de Benoît XIV ; mais cet usage n'est devenu courant que depuis Grégoire XIV (1831-1846).

Professeur de morale et de théologie, Jean-Paul II est particulièrement qualifié pour cet exercice qu'il mène de bout en bout, de la conception jusqu'à la rédaction définitive. Jean-Paul II en a publié douze depuis son élection en 1978.

4 mars 1979 : *Redemptor hominis*
« **Sur la dignité de l'homme** ». Sur l'eschatologie (tout ce qui est relatif aux fins dernières de l'homme). Cette première encyclique de Jean-Paul II évoque la place de l'homme dans le monde contemporain, de son destin racheté par la crucifixion du Christ. Elle rappelle également quelques principes de l'orthodoxie doctrinale, des normes et statuts liturgiques, du célibat des prêtres ou de la confession des péchés.

30 novembre 1980 : *Dives in misericordia*
« **Miséricorde de Dieu** ». Sur la charité. Le pape aborde dans ce texte tout ce qui a rapport avec la miséricorde divine aussi bien dans l'Ancien que dans le Nouveau Testament, ainsi que la place de celle-ci au sein de la mission de l'Église.

14 septembre 1981 : *Laborem exercens*
« **Travailleurs et syndicalisme** ». Sur le travail. Sa publication a été retardée suite à l'attentat de mai 1981. Le pape a terminé la rédaction de ce texte alors qu'il était en convalescence. Dans ce document, il souligne le conflit entre le travail et le capital, et réaffirme la primauté du premier sur le second, ainsi que les droits des travailleurs, notamment la légitimité des mouvements de grève, dont il ne faut toutefois pas abuser. Quant au chômage, il est pour le pape « toujours un mal et, lorsqu'il en arrive à certaines dimensions, peut devenir une véritable calamité sociale ».

2 juin 1985 : *Slavorum apostoli*
« **Évangélisation des Slaves par saint Cyrille et saint Méthode** ». Elle se situe dans une optique de recentrage de l'Europe depuis toujours espéré par Jean-Paul II.

18 mai 1986 : *Dominum et vivificantem*
« **Saint-Esprit** ». Sur les sacrements. Elle invoque la présence de l'Esprit-Saint au cœur de l'Église et du monde.

25 mars 1987 : *Redemptoris Mater*
« **La rédemption de la Sainte Vierge** ». Cette encyclique évoque la place de la Vierge Marie dans l'Église et inaugure l'année mariale.

30 décembre 1987 : *Sollicitudo rei socialis*
« **Questions sociales** ». Sur la doctrine sociale. Rédigée en l'honneur du vingtième anniversaire de l'encyclique de Paul VI, *Populorum progressio,* qui affirme la solidarité entre les hommes comme unique solution à la misère du monde.

7 décembre 1990 : *Redemptoris missio*
« **Valeur permanente du précepte missionnaire** ». Sur les missions.

1ᵉʳ mai 1991 : *Centesimus annus*
« **Centième année** ». Pour commémorer le centenaire de l'encyclique de Léon XIII, consacrée à la condition des ouvriers et qui est une

présentation de la doctrine sociale de l'Église. C'est la seule encyclique qui donne lieu à des commentaires successifs à l'occasion d'anniversaires (Pie XI, en 1931, Jean XXIII, en 1961).

5 octobre 1993 : *Veritatis splendor*
«**Fondements de la morale**». Cette dixième encyclique s'interroge sur les fondements de la morale catholique.

30 mars 1995 : *Evangelium vitae*
«**Défense des valeurs**». Cette encyclique dénonce l'avortement, l'euthanasie, la contraception, la procréation artificielle, et les manipulations d'embryons, qui relèvent, selon lui, d'une «culture de mort». Le pape qualifie de tyrans «les États qui autorisent de telles pratiques». Il défend la primauté de la loi morale sur la loi civile et réclame un droit à l'objection de conscience de la part, notamment, des personnels de santé.

30 mai 1995 : *Ut unum sint*
«**Qu'ils soient un**». Sur la réunification souhaitable des Églises et sur l'acceptation de la remise en cause de la primauté de l'évêque de Rome. C'est la première fois que le thème de l'œcuménisme est abordé.

Écrire, dicter, corriger, parapher. Ce sont des tâches communes à tout chef d'État qui gouverne en consultant des dossiers fournis par ses plus proches collaborateurs. Chef spirituel, le pape doit, en plus, méditer sur tous les aspects doctrinaux de la foi.

Le gouvernement du Vatican : la Curie

La Curie romaine a pour fonction de soutenir le pape dans sa charge suprême de pasteur et de maintenir son autorité temporelle. Son rôle est polyvalent : elle doit conseiller, administrer, voire juger. Ses attributions ont profondément évolué au cours des siècles.

Les origines de la Curie

Le mot Curie vient de *Curia*, le siège du Sénat du temps de l'Empire romain. Les premières traces d'une organisation gouvernementale de l'Église remontent au IVe siècle, notamment avec le pape Damase (366-384). Elle fut rendue nécessaire pour assurer un bon déroulement de l'activité missionnaire et pour garantir le succès de la conversion des milieux aristocratiques de la cité. Parallèlement à l'affirmation de la primauté romaine comme principe de pouvoir universel se développent diverses méthodes de travail : classifications, archivages, et autres procédures diplomatiques. Différents organismes s'étoffent au fur et à mesure que l'Église de Rome rayonne sur la chrétienté. Le siège apostolique s'inspire en fait des principes gouvernementaux qui régissent la cour impériale, que ce soit celle de Rome ou celle de Constantinople.

De l'Empire à l'époque moderne

Entre le VIe et le Xe siècle, la Curie sert essentiellement les intérêts temporels du pontife qui règne à partir du début du VIIIe siècle comme seigneur sur les États de l'Église, situés dans la péninsule italienne. Mais elle aide également le pape à multiplier ses interventions à travers tout l'Occident. À la fin du XIIIe siècle, le conseil ordinaire du pape, ou consistoire, se réunit souvent, parfois quotidiennement. Il est devenu, depuis le XIe siècle, le tribunal où les autorités délibèrent des cas graves. Les services administratifs et judiciaires tendent vers une plus grande diversification. Si, au XIIe siècle, la chancellerie et la chambre apostolique sont sous l'autorité d'un seul cardinal, au XIIIe siècle, sous Honorius III (1216-1227), la chancellerie est désormais dirigée par un vice-chancelier, assisté de notaires, de correcteurs et de clercs dont la tâche est de tenir à jour les registres. Tous ces hommes ont été formés dans les plus grandes facultés de droit canon, à Paris et à Bologne. Pendant la période où la papauté séjourne en Avignon, la complexité des systèmes administratifs augmente. Quatre organismes se distinguent alors : la chambre apostolique (ayant en charge les questions financières), la chancellerie (pour la rédaction et l'envoi des plis pontificaux), l'administration judiciaire et la pénitencerie. Au XVIe siècle, Sixte Quint (1585-1590) entreprend une modernisation de la Curie en édictant, en 1588, une nouvelle constitution apostolique ; les charges sont confiées à des organismes spécifiques, nommés congrégations. Ce sont des commissions de cardinaux qui veillent à l'application des lois du concile de Trente : ils sont désormais les seuls à prendre les décisions.

La Curie au XXe siècle et après Vatican II

En 1908, Pie X décide d'un nouveau fonctionnement du gouvernement en mettant en avant l'autorité toute-puissante du pape. Vatican II donne lieu à une profonde restructuration de la Curie romaine. Il convient de l'actualiser pour répondre aux besoins de l'époque, des pays et des rites religieux, et d'envisager une collaboration plus étroite avec les laïcs, mieux formés dans certaines disciplines que les ecclésiastiques. Paul VI édicte, le 15 août 1967, une nouvelle loi d'organisation, toujours d'actualité.

La Curie aujourd'hui

La secrétairerie d'État est à la tête du gouvernement. Elle assure les relations entre les différents organismes de la Curie, les rapports entre le pape et les évêques, les nonces, les gouvernements et les ambassadeurs ainsi que les personnes privées.

Les armes d'Urbain VIII (baldaquin de Saint-Pierre).

À sa tête se trouve, depuis 1979 Agostino Casaroli. Angelo Sodano, quant à lui, préside depuis 1990, deux sections :

• *la section des affaires générales* : sa fonction est de s'occuper des affaires courantes et des rapports avec les congrégations de la Curie. Le pontife lui confie également la rédaction et l'expédition des constitutions et des lettres apostoliques, du courrier et de divers autres documents. Cette section est aussi chargée d'exercer une surveillance sur le quotidien du Vatican, l'*Osservatore romano*, sur Radio Vatican et sur le centre audiovisuel.

• *la section des rapports avec les États* : sa charge concerne les relations diplomatiques avec les États, les gouvernements et le droit international.

La secrétairerie d'État s'occupe du bon fonctionnement des congrégations, dont le nombre a été réduit et dont les préfets sont directement responsables devant le pape. Le rôle de ces congrégations est équivalent aux ministères d'un gouvernement moderne.

La congrégation pour la doctrine de la foi (l'ancien Saint-Office, héritier de l'Inquisition), qui veille à la pureté de la doctrine et des mœurs. À sa tête, le cardinal Jozef Ratzinger.

La congrégation pour les Églises orientales (anciennement pour l'Église orientale). Préfet : le cardinal Achille Silvestrini.

La congrégation du culte divin et de la discipline des sacrements (anciennement du concile). Préfet : le cardinal Javier Ortas.

La congrégation pour les causes des saints (canonisation). Préfet : le cardinal Angelo Felici.

La congrégation pour les évêques (anciennement congrégation consistoriale). Préfet : le cardinal Bernardin Gantin.

La congrégation pour l'évangélisation des peuples (anciennement pour la propagation de la foi). Préfet : le cardinal Joseph Tomko.

La congrégation pour le clergé. Préfet : le cardinal José Sanchez.

Les armoiries de Jean-Paul II : d'azur à la croix d'or déjetée à dextre, cantonnée en pointe à senestre d'un M majuscule.

La congrégation pour les instituts de vie consacrée et pour les sociétés de vie apostolique. Préfet : le cardinal Ernesto Martinez Somalo.

La congrégation pour l'éducation catholique, qui comprend la section des séminaires, des universités, des écoles secondaires et primaires. Préfet : le cardinal Pio Laghi.

Trois tribunaux anciens sont maintenus et viennent se greffer sur les congrégations : la *signature apostolique*, gérée par Mgr Agustoni, la *rote romaine* (qui s'occupe des mariages litigieux), dont le doyen est Mgr Mario Francesci Pompedda, et la *pénitencerie apostolique* (pour les affaires de conscience), dont le pénitencier majeur est le cardinal William Wakefield Baum. En revanche, certains tribunaux en vigueur depuis le XVIe siècle ont disparu entre-temps, comme par exemple la chancellerie des brefs. D'autres organismes ont été créés à partir du concile de Vatican II : des *conseils pontificaux pour les non-chrétiens, pour la justice et la paix, pour la famille, les laïcs, la culture, l'assistance.*

La Curie comprend également des services administratifs.

La *chambre apostolique*, dont le chef, ou camerlingue de la sainte Église, est nommé à vie (actuellement, cette fonction est attribuée au cardinal Martinez Somalo). Celui-ci est le gardien et l'administrateur des biens de la papauté dans le cas où le Saint-Siège est vacant. Il prend alors possession des palais apostoliques. L'insigne de sa charge est un bâton, la *ferula aurea*. C'est également lui qui constate officiellement la mort du pape.

L'administration du patrimoine du siège apostolique. Son rôle est de gérer les domaines privés du Saint-Siège. Président : le cardinal Rosalio José Castillo Lara.

La préfecture des affaires économiques du Saint-Siège. Le cardinal Edmund Szoka, assisté de quatorze cardinaux, est chargé de l'état économique et du budget du Saint-Siège.

Le gouvernement du Vatican : les organes de communication

Le Vatican possède les instruments qui lui permettent de faire entendre sa voix ou son message.

Version grandeur nature des magnifiques séries de timbres-poste que le Vatican produit. Une source de revenus non négligeable.

La poste vaticane

Les accords du Latran, signés en 1929 avec Mussolini, ont permis au Vatican de devenir un État reconnu par la communauté internationale. Il adhère à l'Union postale universelle et émet ses propres valeurs philatéliques. Depuis, on compte près de cinq séries de timbres par an, dont le tirage se situe autour de 450 000 exemplaires.
Les nombreuses séries philatéliques constituent un chiffre d'affaires considérable pour la cité vaticane.

L'*Osservatore romano* : le quotidien du Saint-Siège

Fondé en 1861, l'*Osservatore romano* est l'organe de presse du Saint-Siège. Il paraît tous les jours, sauf le dimanche et les jours fériés. L'édition quotidienne est en italien (12 000 exemplaires), mais compte également six éditions hebdomadaires (50 000 exemplaires) en anglais le lundi, en français le mardi, en italien le jeudi, en espagnol et en allemand le vendredi, en portugais le samedi. Il existe aussi une édition mensuelle en polonais (40 000 exemplaires). La rubrique située en première page et intitulée *Nostre informazioni* («Nos informations») constitue la seule partie officielle du journal ; rédigée par la se-

Chaque exemplaire du quotidien l'Osservatore romano comporte un nombre de pages réduit (une dizaine seulement), mais constitue incontestablement une source essentielle à qui veut connaître le point de vue pontifical sur le monde contemporain.

crétairerie d'État, elle publie la liste des audiences et des nominations pontificales, ainsi que les communiqués relatifs aux activités du pape et du Saint-Siège.

Le quotidien emploie trente laïcs de sexe masculin pour la rédaction ainsi que soixante-dix personnes cantonnées aux services techniques et administratifs.

Les ondes de Radio Vatican offrent à côté d'un bulletin d'informations religieuses et générales, une formation doctrinale et spirituelle. Depuis janvier 1993, un satellite transmet le message religieux sur toute l'Europe ainsi que sur le continent africain.

Radio Vatican

Un moyen efficace pour la transmission du message chrétien. Depuis des années, le Vatican a reconnu en la radio un média nécessaire et un allié très utile pour toucher le plus grand nombre de personnes à travers le monde. Inaugurée en 1931 par Pie XI, elle est écoutée très régulièrement, notamment lors des retransmissions des grandes cérémonies officielles. En 1936, l'Union internationale radiophonique lui accorde un droit de diffusion illimité. Son réseau s'étend même jusqu'aux pays totalitaires où seules les ondes radio permettent d'assurer le lien entre les communautés dispersées de par le monde.

Le message chrétien de Radio Vatican est diffusé toutes les heures par des jésuites polyglottes en trente-quatre langues, l'espéranto compris. Son indicatif est : « *Christus vincit, Christus regnat, Christus imperat* ».

Jean-Paul II en prière devant une plaque commémorant les millions de victimes de l'Holocauste, à Auschwitz-Birkenau. Les positions prises par Jean-Paul II restent incomprises pour nombre de participants catholiques au dialogue judéo-chrétien.

Jean-Paul II et la communauté juive

Connaissant et usant à merveille des manifestations symboliques, Jean-Paul II accomplit un geste historique le 13 avril 1986 en se rendant à la synagogue de Rome, située en face du Vatican, de l'autre côté du Tibre. Devant toutes les personnalités les plus éminentes de la communauté juive, le pape, dans son discours, renouvelle la condamnation récente de l'antisémitisme déjà formulée par l'Église en 1965, à l'occasion de Vatican II dans *Nostra Aetate*. Le pape évoque également les conditions dans lesquelles le dialogue judéo-chrétien en cours depuis de nombreuses années doit s'établir. Il salue l'importance du message des « frères aînés » que sont les juifs pour les chrétiens. Les deux discours et les prières faites en commun sur la base du livre de la Genèse relancent spectaculairement un dialogue diffi-

cile, destiné à faire les comptes de deux millénaires marqués par des persécutions horribles et qui ont culminé dans les camps de concentration et d'extermination nazis. Toutefois, le chemin qui mène à la réconciliation judéo-chrétienne est parsemé d'embûches que la manière directe de poser les problèmes chère à Jean-Paul II n'est pas près d'éviter. En effet, par rapport à la communauté juive internationale, le pape n'est pas seulement le chef de l'Église catholique, au nom de laquelle nombre de persécutions contre les juifs ont été commises, mais il est de plus polonais, originaire du pays qui souffrit le plus de la barbarie nazie et dont la communauté juive fut quasi rayée de la carte au cours de la solution finale. Or Jean-Paul II, que l'on ne peut soupçonner d'antisémitisme, partage l'opinion de nombre de Polonais, qui

ÉDITH STEIN

Édith Stein est née à Breslau le 12 octobre 1891. Élevée dans les principes judaïques, elle s'en détourne à l'adolescence, et leur préfère la philosophie. À l'université de Göttingen, elle suit l'enseignement de Husserl, le fondateur de la phénoménologie. Toujours en quête de la vérité, elle est touchée par la foi et se convertit au catholicisme en 1922. Elle découvre les écrits de saint Thomas et de saint Jean de la Croix. Vers 1925, elle tente de concilier philosophie thomiste et phénoménologie. En 1933, elle est contrainte par la loi nazie de quitter sa chaire à l'université de Münster, à cause de ses attaches juives et catholiques. Le 13 octobre, à quarante-deux ans, elle entre au carmel de Cologne, prend le voile six mois plus tard sous le nom de sœur Thérèse Bénédicte de la Croix. Pressentant la menace nazie, elle se réfugie dans un couvent hollandais. Mais il est déjà trop tard : le 2 août 1942, elle est arrêtée puis déportée, comme d'autres religieux « non aryens ». Elle meurt au camp d'Auschwitz-Birkenau. Le 1er mai 1987, elle est béatifiée à Cologne par Jean-Paul II.

ne font pas de différence ou qui ne veulent pas mettre en exergue la spécificité du martyre du peuple juif. Aussi n'est-il pas surprenant que le pape mette en avant des figures chrétiennes, victimes elles aussi de la barbarie nazie. Mais parfois ses choix portent à confusion. Ce fut le cas lors de son deuxième voyage en Allemagne, en avril-mai 1987, quand il béatifia Édith Stein, une carmélite d'origine juive morte en déportation à Auschwitz, en 1942. Il en va de même avec la béatification du père Kolbe, un franciscain polonais, actif propagandiste durant l'entre-deux-guerres du culte marial en Pologne et qui, lui aussi, trouva la

Jean-Paul II en compagnie d'anciens déportés lors de son voyage à Auschwitz.

MAXIMILIEN KOLBE

Franciscain polonais, Maximilien Kolbe est né à Zdunska Wola en 1894. Profondément mystique jusqu'à avoir régulièrement des visions et se dire assuré du ciel par Dieu, il fonde en 1917, à l'âge de vingt-quatre ans, alors qu'il n'est pas encore prêtre, la Milice de l'Immaculée. En compagnie de sept amis, il a l'ambition suprême de convertir tous les pécheurs. Personnalité au charisme certain, ce meneur d'hommes ne s'arrête pas en si bon chemin et crée, en 1921, *le Chevalier de l'Immaculée*, journal catholique, dont le tirage, qui atteint huit cent mille exemplaires, bat tous les records de la presse polonaise de l'époque. Missionnaire apostolique, il transporte quelques années plus tard l'*Œuvre du Chevalier* au Japon, déterminé à convertir ce pays à petite minorité chrétienne. Il revient en Pologne avant la guerre, est arrêté par la Gestapo en 1941, puis déporté à Auschwitz. Le 30 juillet, il se sacrifie à la place d'un des détenus, le sergent Francis Gajowniczek, père de famille, condamné au bunker de la faim. Le 14 août, une injection mortelle met fin à ses jours.
Il est béatifié en 1971, puis canonisé le 9 novembre 1982
par Jean-Paul II.

mort dans un camp de concentration en demandant à remplacer un otage condamné à mort. Ces choix, indispensables dans l'esprit de Jean-Paul II pour dénoncer le racisme et l'antisémitisme, sont pour une partie de la communauté juive la marque d'un refus de considérer la Shoah à sa juste place : la plus importante tentative d'anéantissement d'un peuple pour laquelle tous ceux qui l'ont laissée se dérouler doivent manifester leur repentir, pour que les mots «jamais plus» aient encore un sens.
Dans ce contexte, l'audience accordée en 1987 à Kurt Waldheim, chef de l'État autrichien depuis 1986, a profondément choqué la communauté juive ainsi que tous les

chrétiens attentifs à la réconciliation judéo-chrétienne. En effet, l'ancien secrétaire général de l'ONU est depuis accusé d'avoir commis plusieurs crimes de guerre pendant la Seconde Guerre mondiale, alors qu'il servait dans l'armée allemande sur le front yougoslave. Parmi ces crimes figurent plusieurs assassinats de juifs. À l'annonce de cette rencontre d'une demi-heure le 25 juin, l'archevêque de Lyon, le cardinal Decourtray, cheville ouvrière du comité de liaison juif-chrétien n'hésite pas à exprimer son «désarroi» et sa «souffrance». La suite du dialogue est remise à plus tard. Les conséquences de ce geste ont pour effet de rendre plus délicat le déplacement du pape aux États-Unis, en septembre de la

même année. Un an plus tard, en juin 1988, la visite au camp de concentration de Mauthausen, en Autriche, ne contribue pas à dissiper le malentendu fondamental : Jean-Paul II évoque à cette occasion, «l'homme de douleurs» victime d'une «idéologie démente», sans mentionner la spécificité juive du génocide.

Ce malentendu très persistant entre juifs et hiérarchie catholique n'empêchera toutefois pas que les relations entre Israël et le Vatican prennent un caractère de plus en plus étroit à partir du 30 décembre 1993. À la veille de l'année nouvelle, les deux États signent un accord fondamental qui prévoit la normalisation de leurs rapports. Un échange d'ambassadeur est

prévu au cours du premier semestre de l'année suivante. Ce long chemin vers la reconnaissance a été jalonné de plusieurs étapes importantes. Il y eut tout d'abord la renonciation par l'Église, lors de Vatican II, à considérer le peuple juif comme un peuple déicide puis, en octobre 1980, la mention pour la première fois dans le langage très diplomatique du Saint-Siège de l'expression « État d'Israël », et enfin en juillet 1992, l'établissement d'une commission bilatérale destinée à faciliter le rapprochement entre les deux États.

Jean-Paul II reçoit, dans sa résidence d'été de Castelgandolfo, le grand rabbin d'Israël, Yisraël Mei, au mois de septembre 1993, accompagné de membres de la communauté juive italienne.

Jean-Paul II et la vie

Au-delà des défis tradi-tionnels auxquels l'hu-manité n'a de cesse d'être confrontée comme la violence et la pau-vreté, voire la misère absolue, aujourd'hui pour Jean-Paul II, celui qu'il considère comme pre-mier, c'est la défense de la vie. La vie, dès ses premiers instants, avec la condamnation sans équivoque de la contraception et de l'avorte-ment, fût-il thérapeutique. Les condamnations répétées de Jean-Paul II sont souvent en porte-à-faux avec les pratiques des gouvernements qui tentent de mieux maîtriser la croissance démographique de leurs pays. Ce fut le cas en Inde, où le pape se rendit en 1986. Son éloge

En Inde, Jean-Paul II visite mère Teresa, figure emblématique de l'apostolat auprès des plus démunis, en particulier les lépreux.

de la continence fut interprété par les autorités indiennes comme une critique de leur programme de contrôle des naissances, par l'usage de la contraception.

Les manipulations génétiques

L'inquiétude des évêques et de leur chef s'exerce également à l'encontre des percées scientifiques les plus extraordinaires mais aussi peut-être les plus dangereuses. C'est plus particulièrement le cas des problèmes posés par les manipulations génétiques, qui connaissent un développement rapide. Jean-Paul II abordera la question pour la première fois en Australie, en 1986, un pays qui est à la pointe de ces techniques, en enjoignant les hommes à ne pas jouer les apprentis sorciers. C'est avec le même état d'esprit que, le 10 mars 1987, la congrégation pour la doctrine de la foi rend publique une instruction dans laquelle l'Église réaffirme sa désapprobation de toutes les techniques de procréation artificielle (fivète, insémination artificielle, manipulations biologiques, etc.). Cette condamnation s'appuie sur deux critères, le premier au nom de la protection du fœtus, et le second au nom de la protection de la morale conjugale. Ce document soulève un tollé parmi nombre de médecins catholiques confrontés tous les jours au désir d'enfant de nombreux couples, entre autres catholiques, qui, pour des raisons parfois fort diverses, n'ont plus après cette déclaration aucun recours, ni secours auprès de l'Église. Dans les pays les plus avancés, où les pratiques d'insémination artificielle se développent depuis 1985, même les hiérarchies locales sont embarrassées par cette prise de position. Elles sont contraintes de s'engager dans des politiques d'explication pour justifier le propos de l'Église.

Le sida

Pour évoquer le fléau le plus récent des temps modernes, Jean-Paul II, dont l'hostilité à l'homosexualité est de notoriété pu-

MÈRE TERESA

D'origine albanaise, de son véritable nom Agnès Gonxha Bojaxhiu, mère Teresa est née à Skopje (Macédoine) en 1910. En 1928, elle se rend à Calcutta et entre chez les sœurs irlandaises de Lorette. Pendant une quinzaine d'années, elle enseigne la géographie aux jeunes filles de la bonne société. À la fin de la Seconde Guerre mondiale, elle se met au service des Indiens les plus déshérités et fonde l'ordre des Missionnaires de la Charité, dont l'action et le rayonnement sont internationaux. Le 8 décembre 1979, mère Teresa reçoit le prix Nobel de la paix.

blique, préfère le geste au mot. Lors de son voyage en Californie en 1987, à San Francisco, il choisit de prendre dans ses bras un garçonnet atteint du virus, le berce et l'embrasse, en voulant par ce contact illustrer toute la compassion qui l'étreint à l'évocation du drame individuel et collectif que constitue la séropositivité.

En 1987, à la publication de sa septième encyclique, *Sollicitudo rei socialis*, qui aborde les problèmes du développement et du sous-développement, le pape dénonce une fois de plus les effets des campagnes antinatalistes. À plusieurs reprises, lors de ses déplacements en Afrique, il s'appuiera sur l'évolution dramatique du sida, pour réitérer ses recommandations de fidélité au sein du couple et de pratique de la continence.

Un pontificat à nul autre pareil

Dénonciateur des atteintes, hier comme aujourd'hui, aux droits de l'homme ; contempteur des aspects «immoraux» qu'il discerne dans l'évolution des sociétés contemporaines, attentatoires à la conception de la vie défendue par l'Église, Jean-Paul II, au-delà de la délivrance du message évangélique dans toute sa pureté historique, exhorte les fidèles, mais aussi tous les hommes de bonne volonté, à écouter sa voix qui appelle à un « réveil religieux », ressort ultime qui permettra de sauver le monde dans sa lutte contre Satan (discours en Slovénie, en mai 1996). Car depuis 1989, la crise morale et spirituelle que connaissent tous les pays

européens lui semble trop grave pour ne pas donner lieu à un vigoureux message de mise en garde auprès des peuples.

Après que le communisme a été vaincu, le souverain pontife met en exergue la crise de la religion catholique en Europe. Il ne laisse jamais passer l'occasion d'adjurer les nations européennes (Espagne, en juin 1993; France, en 1992) de ne pas abandonner ce qui fait leur spécificité, être chrétiennes. Car pour lui, il ne peut y avoir renoncement à ce qui constitue le socle sur lequel repose l'unité du continent. Une évidence qu'il se plaît à rappeler à l'occasion de ses nombreuses sorties. Celle-ci va de pair avec la dénonciation de l'athéisme (au Portugal, en mai 1991), nouveau cheval de bataille après la disparition du communisme. Le synode extraordinaire du 14 décembre 1991, réuni à Rome et rassemblant près de 200 cardinaux, évêques catholiques et délégués des Églises protestantes et orthodoxes des pays européens, se sépare après avoir adopté un document qui prône une «nouvelle évangélisation» du Vieux Continent.

Défenseur des cultures opprimées

Lors de son grand périple de novembre 1986 en Asie et en Océanie, Jean-Paul II avait réitéré les propos et les gestes équivalant à une reconnaissance de toutes les cultures bafouées par les impérialismes depuis des siècles, victimes du racisme et de l'exploitation. Fait Maori d'honneur lors de sa halte en Nouvelle-Zélande, il a renouvelé son message en Australie où il a pris la défense des aborigènes, écrasés dans leur culture par le monde blanc. À plusieurs reprises, que ce soit en Afrique, en Amérique ou en Asie, Jean-Paul II se fait le champion des identités culturelles menacées ou des peuples en voie de décomposition du fait de la perte de leurs valeurs traditionnelles. Pour le souverain pontife, il ne fait pas de doute que la nouvelle évangélisation qu'il appelle de ses vœux répond aux besoins de l'humanité.

Au cours de son voyage en France, en septembre 1996, le pape s'est recueilli plusieurs fois en priant pour les «blessés de la vie», comme ici, dans le chœur de la cathédrale Notre-Dame de Reims.

LE VATICAN, CITÉ D'ART

- La basilique Saint-Pierre
- La chapelle Sixtine
- Les musées du Vatican

La basilique Saint-Pierre de Rome.
Quand l'Église s'offre l'une des plus prestigieuses architectures.

L a basilique Saint-Pierre de Rome est sans conteste le centre névralgique de la chrétienté, celui vers lequel les pas de tous les pèlerins du monde entier convergent. Il n'aura fallu pas moins de cent vingt ans, au cours desquels se sont succédé vingt papes, qui ont fait eux-mêmes appel à dix architectes, pour obtenir cette harmonie parfaite des volumes et des formes.

La basilique Saint-Pierre

Une première basilique fut édifiée sur l'ordre de l'empereur Constantin (né entre 270 et 288, mort en 337) entre 315 et 320, et achevée vers 349, pour remplacer le monument construit au IIe siècle à l'emplacement du site où fut inhumé l'apôtre Pierre, considéré comme le premier de tous les papes. Son martyre dans le cirque de Gaius et Néron est vraisemblablement survenu entre 64 et 67, ainsi que le rapporte en détail le Nouveau Testament. Depuis le Ier siècle, cette zone couvrant 40 hectares, et dénommée sur les plans *Regio XIV augustea*, est considérée comme l'une des plus sacrées du monde. Elle est alors une place funéraire, régie par de très sévères lois. Le monument de Constantin était une basilique à cinq nefs précédée d'un grand portique, dont le décor intérieur était richement orné de fresques et de précieuses mosaïques. Mais, à l'aube de la Renaissance, l'édifice se trouve dans un état déplorable.

Il faut attendre le XVe siècle pour constater la naissance d'un nouvel élan qui se traduit par un autre projet : à cette époque, la papauté vient de connaître un long intermède en Avignon (1305-1417), et la basilique, victime de l'abandon et des outrages du temps, n'est plus belle à voir. C'est le pape Nicolas V (1447-1455) qui ordonne sa reconstruction totale et ébauche les premiers projets. Mais ceux-ci se trouvent retardés provisoirement à la suite de son décès. Durant un demi-siècle, la question reste donc en suspens.

La monumentale place Saint-Pierre a été conçue pour servir d'écrin à la basilique, et pour rassembler un nombre imposant de fidèles durant les cérémonies officielles. Paradoxalement, la plus grande église de la chrétienté se situe dans le plus petit État du monde.

Le baldaquin

*Dessiné par le Bernin en
1624, et abritant l'autel
papal, il est constitué
de quatre colonnes
en bronze doré. L'ensemble
atteint une hauteur
de 29 mètres.*

L'autel papal

*Érigé au-dessus du tombeau
de l'apôtre Pierre, l'autel qui
date de Clément VII (1592-
1605) est un bloc de marbre
provenant du forum de Nerva.*

La nef

*Construite par les continuateurs de
Michel-Ange et de Giacomo della Porta,
elle mesure 187 mètres de long.*

La coupole de la basilique

Conçue par Michel-Ange, elle fut achevée après sa mort, par Giacomo della Porta. Elle est le couronnement du monument symbole de la chrétienté, et s'élève à 132 mètres du sol.

La statue de saint Pierre

Située à gauche de l'escalier du parvis, faisant pendant à celle de saint Paul, elle accueille les pélerins.

La colonnade du Bernin

Commandée par Alexandre VII (1655-1667), elle forme un ovale de 340 mètres pour le grand axe et 240 pour le petit. Les colonnes sont au nombre de 284, surmontées de 162 statues de saints.

Jules II engage Bramante

C'est sous le pontificat de Jules II (1503-1513) que la décision sera cette fois concrétisée. Après de multiples hésitations le pape s'adresse à l'un des plus fameux architectes de ce temps : Bramante (1444-1514), l'un des pionniers de l'architecture de la Renaissance, artiste aussi ambitieux que talentueux, concepteur du *Tempietto* de San Pietro in Montorio (1502) qui se trouve également à Rome, qui remit au goût du jour l'église à plan circulaire. La première pierre du nouveau sanctuaire est posée le 18 avril 1506. Un dessin de cette époque témoigne du concept élaboré par l'architecte : un plan en croix grecque, c'est-à-dire centré. L'ensemble était surmonté d'une coupole aux proportions considérables. Hélas ! les fondations et les piles de la croisée sont à peine achevées que surviennent, à une année d'intervalle, les disparitions de Jules II et du brillant concepteur. Par la suite, de nombreux architectes (dont Raphaël) tergiversent et s'affrontent sans fin sur la continuation de l'entreprise, notamment sur le fait de conserver l'idée du plan centré pour l'édifice. Le chantier piétine quand, en 1527, le sac de Rome manque de lui asséner un coup fatal : les troupes impériales de Charles Quint ruinent la ville et provoquent la désertion des grands esprits qui y travaillaient.

Un nouvel élan succède à la ruine

Lorsqu'en 1534, Paul III est élu pape, la Réforme déclenchée par Luther bat son plein, ses conséquences conduisent inévitablement à une diminution considérable de l'autorité morale de l'Église et de ses ressources matérielles. Le chantier est resté en plan. Pape dynamique et volontaire, Paul III décrète sur le champ la reconstruction de la basilique. Son souhait est de faire de Rome, à l'abandon au XIVe et au début du XVe siècle, un des plus éminents foyers culturels d'Europe. Il désire donner une ampleur sans égale au monument, qui devra se montrer digne du premier sanctuaire de la chrétienté, symbole entre tous de la foi.

Dans une des chapelles de la nef droite, la Piéta, groupe en marbre que Michel-Ange exécuta avant l'âge de 25 ans et qu'il acheva en 1499.

L'architecte Antonio de Sangallo le Jeune est choisi, mais il ne réalisera qu'une maquette du projet : plus artisan qu'artiste, ce dernier consacrera sept années à la réalisation de cette admirable pièce en bois, qui se trouve actuellement à la Fabbrica di San Pietro, au Vatican. Cette maquette apparaît comme une espèce de compromis entre l'utilisation du plan central (dont tous les éléments s'articulent autour d'une symétrie centrale et non axiale) et celle du plan en croix latine. Mais le tout est loin de posséder la majestueuse ampleur du projet initial de Bramante, dont l'harmonie se trouve sensiblement alourdie par ces modifications.

Michel-Ange suit la voie tracée par Bramante

Michel-Ange (1475-1564) prend la succession de Sangallo, quand ce dernier décède en 1546 ; il délaisse la maquette intermédiaire, car il possède selon son habitude des idées toutes personnelles et n'apprécie pas les complications, et encore moins les idées fort coûteuses qu'affectionnait son prédécesseur. Michel-Ange, dont la formation s'est faite sous l'influence de Vinci et

Toute la valeur architecturale de cette coupole, achevée à la fin du XVIe siècle, repose sur le fait qu'elle est soutenue par un mur, ou tambour, massif et indépendant.

de Brunelleschi, grands érudits férus d'édifices idéalement simples, proclame son admiration pour Bramante – «s'éloigner de Bramante, c'est s'éloigner du vrai !» – dont il admire la simplicité des volumes et des proportions qui permet une lecture facile. Il revient donc à l'espace centré originel de son maître. Depuis l'élaboration du projet de Bramante, de nombreux progrès techniques sont survenus ; Michel-Ange peut ainsi envisager de renforcer le mur, ainsi que les piles principales : en répondant aux exigences de clarté et de régularité du bâtiment, il allège ainsi son agencement intérieur. Le chantier se trouve, grâce au nouvel architecte, mû par un élan et un dynamisme inconnus jusqu'alors ; les travaux s'accélèrent ainsi sensiblement. L'aire destinée à l'autel et à la Confession (tombeau de l'apôtre Pierre), située à la croisée, constitue un espace défini et homogène. Une zone importante est accordée à la répartition aisée et régulière ainsi qu'à la déambulation des pèlerins.

Cette unité est également frappante à l'extérieur de la bâtisse, dont le décor en façade, savamment pensé dans un but d'harmonie et de régularité, comprend des pilastres et des colonnes monumentales de style corinthien. Celles-ci sont surmontées d'un entablement et d'un fronton triangulaire au centre. La façade se termine par un couronnement à balustrade orné de statues. À chacune de ses extrémités, des horloges conçues au XVIIIe siècle par l'architecte et urbaniste Valadier (1762-1839) seront installées. La coupole de Saint-Pierre retient particulièrement l'attention de Michel-Ange : son tambour (mur qui la soutient) est composé de fenêtres à frontons alternativement courbes et triangulaires. Elles sont entrecoupées de pilastres doublés (on retrouve les mêmes dispositions à l'extérieur mais cette fois-ci avec des colonnes). Le génial architecte révèle dans cette œuvre une parfaite maîtrise du vocabulaire architectural de la Renaissance. Quand le maître vient à mourir, la coupole est reliée au tambour et les deux bras de la croisée sont terminés. L'œuvre est continuée par Pirro Ligorio (1513-1583), le constructeur de la villa d'Este à Tivoli, Giacomo della Porta et Domenico Fontana. La coupole est achevée par Giacomo della Porta, entre 1585 et 1593. Elle s'élève à 132 mètres et domine amplement l'édifice ; elle est striée à l'extérieur de nervures de pierre qui soutiennent la lanterne. La nouvelle église couronnée devient alors symbole de l'Univers et expression triomphante de la glorification de la chrétienté. Les architectes continuateurs prolongeront le monument par une nef ; l'ensemble de la basilique atteindra alors une longueur de 187 mètres.

Le baldaquin et la colonnade du Bernin

En 1623, Maffeo Barberini est élu pape ; celui qui prendra le nom d'Urbain VIII fait venir à Rome un sculpteur et architecte talentueux qu'il affectionne depuis longtemps : Gian Lorenzo Bernini, dit le Bernin (1598-1680). Cet homme s'impose en

Au sommet du baldaquin, un putti en bronze tient les clés de saint Pierre, qui ouvrent et ferment les portes du ciel.

Le baldaquin baroque du Bernin, qui domine la nef fut commencé en 1624 et achevé en 1633.

quelques années comme l'une des figures principales du mouvement baroque partout en Europe. Mais son œuvre s'inscrira surtout au Vatican, où il exercera son talent pendant environ trois décennies. Le haut lieu du catholicisme est alors doté d'une puissance et d'un pouvoir équivalents à ceux qui précédèrent la Réforme.

À l'intérieur de la basilique Saint-Pierre, Bernin exécute entre 1624 et 1633, le prestigieux baldaquin, qui est un parfait résumé du baroque naissant : ce mouvement au lyrisme évocateur, qui fait appel directement aux sens et aux émotions par un foisonnement des couleurs, une complication des formes dans le mouvement, la surcharge de décors en stuc et l'abondance des dorures, exploite abondamment dans ses thèmes le vaste répertoire des scènes bibliques. Ici, le baldaquin est formé de quatre colonnes torses en bronze dont la hauteur n'atteint pas moins de vingt mètres, et se situe exactement au-dessus de l'emplacement du tombeau de l'apôtre Pierre. Seul le Saint-Père est habilité à célébrer la messe sous le grandiose baldaquin. C'est également au Bernin que l'on doit la décoration intérieure de la basilique : des décors en stuc qui ornent les arcades, la partie interne des piliers, recouverts de médaillons polychromes en marbre, ainsi que des plaques du dallage taillées dans le même matériau.

Eve, séduite par le démon qui a pris l'apparence d'un serpent, commet le péché originel.

place trapézoïdale. Puis, prouesse architecturale, un immense ovale délimité par deux séries de doubles colonnades incurvées. Cette place est conçue pour répondre à des nécessités pratiques qui sont elles-mêmes fortement chargées de symboles : en effet, la double colonnade symbolise la perpétuelle ouverture des bras de l'Église aux fidèles. Les propos de l'architecte sont d'ailleurs explicites : elle « étreint les catholiques pour que leur conviction soit encore plus forte, les hérétiques pour qu'ils viennent rejoindre l'Église, et les agnostiques pour qu'ils soient illuminés par la vraie foi ». Ainsi, les pèlerins se trouvent rassemblés dans une espèce « d'enceinte sacrée » qui les isole de la ville, facilitant de ce fait le recueillement commun et la prière. De plus, les regards peuvent converger vers la loge des bénédictions, qui se trouve au-dessus du portail de la basilique et où le pape apparaît durant les occasions solennelles. Le principe de la double colonnade a également été étudié pour faire office de déambulatoire. Enfin, en guise de couronnement, et peut-être aussi de clin d'œil théâtral (le Bernin était également un brillant décorateur de manifestations d'art dramatique), 162 statues de saints, hautes

Une place à l'image des principes du monde catholique

Durant les premiers temps du pontificat d'Alexandre VII (1655-1667), l'endroit situé juste devant la basilique rassemble encore un certain nombre d'éléments tous plus ou moins hétéroclites (un obélisque et une fontaine d'époques différentes), dont l'effet manque manifestement de cachet. Le Bernin entreprend alors d'uniformiser le lieu en lui apportant l'ampleur qu'il mérite : une structure inspirée du concept de l'atrium est alors envisagée ; d'abord, encadrant directement la basilique, une petite de plus de trois mètres forment une procession monumentale. Les statues de saint Pierre et de saint Paul sont, quant à elles, situées à chaque extrémité des rampes de l'escalier du parvis, servant en quelque sorte de guides au cortège.

La chapelle Sixtine

En 1508, la basilique Saint-Pierre est encore en chantier. C'est la chapelle Sixtine qui est alors le lieu privilégié des célébrations officielles, ainsi que de l'élection des pontifes. Au mois de mars de cette année, le pape Jules II décide son embellissement : la voûte, alors ornée d'un simple fond bleu piqueté d'étoiles, doit être renouvelée. Il fait appel à Michel-Ange, qui s'avère au départ réticent. En effet, le maître se veut plus sculpteur que peintre, et rechigne à l'idée d'abandonner le monumental tombeau en marbre du pontife sur lequel il travaille depuis des années.

Michel-Ange, qui finalement s'est laissé convaincre, entame une impressionnante entreprise : la voûte de la chapelle va devenir le support de la plus grande peinture jamais réalisée. L'artiste organise en premier lieu la surface en la divisant au moyen de trompe-l'œil qui imitent la structure architectonique de la chapelle en la prolongeant : dans l'axe des véritables pilastres sont peints des faux, ainsi de suite, jusqu'à créer l'illusion parfaite d'une architecture dans l'architecture. Au cœur de cette disposition, le peintre place différents épisodes bibliques. Sous la voûte, tout en haut des murs, des arcs de cercle représentent certains ancêtres du Christ mentionnés dans l'Ancien Testament, en fait des parents de Marie.

Sur les bords de la voûte, des espaces triangulaires (ou voiles) contiennent le complément de cette généalogie, où les personnages sont disposés par groupes de trois. Les triangles plus importants situés aux angles (ou panaches) content des épisodes fondateurs

LA RESTAURATION DE LA VOÛTE

En 1981, une équipe de restaurateurs s'attelle à la délicate tâche de rajeunir le chef-d'œuvre. En effet, un examen avait dénoncé la présence de fissures susceptibles de s'élargir et de détériorer gravement l'état de la voûte. Ces altérations étaient dues à l'action de certaines colles posées auparavant et destinées à raviver les couleurs de la fresque ternies, au fil des ans, par la fumée des bougies et des lampes à huile. La première partie de l'opération s'est achevée en 1984, et les visiteurs ont découvert son aspect d'origine en 1989.

Après la faute, Adam et Ève sont chassés du Paradis et contraints à errer dans le vaste monde.

de l'histoire du peuple juif : le triomphe d'Esther, le serpent de bronze, Judith et Holopherne, David et Goliath. Les prophètes annonciateurs et les sibylles, prophétesses antiques, sont peints entre les triangles. La Genèse, enfin, occupe le centre de cette voûte habilement compartimentée en une série de petits et grands rectangles, allant de la *Création du monde* à l'*Ivresse de Noé*. La disposition de ces divers épisodes n'est évidemment pas due au simple hasard : la lecture de cette Bible se fait d'une manière inversée *La Création du monde*, par exemple, se trouve dans une lointaine partie élevée de la voûte, et les tout der-

La voûte de la chapelle Sixtine est la plus grande peinture qui ait jamais été exécutée par un artiste. Elle mesure 40 m de long, 13 m de large et se situe à 21 m du sol. Les scènes représentées sont toutes issues de l'Ancien Testament, en particulier de la Genèse.

niers panneaux décrivent le monde avant la conception de l'homme, quand les lois naturelles ne sont pas encore investies par l'humanité, vecteur de chaos.

Celui qui pénètre dans la chapelle éprouve alors le sentiment de remonter le temps, de partir à la recherche du péché originel. Ainsi exécutée, la voûte de la chapelle Sixtine est le chef-d'œuvre par excellence de la peinture.

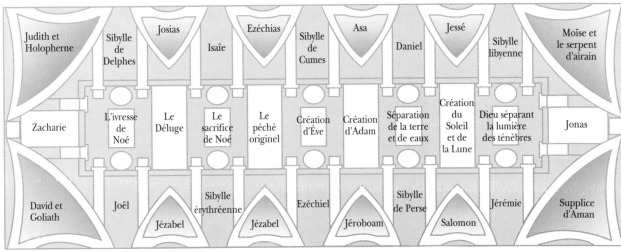

Le Jugement dernier

C'est le dernier volet de la décoration de la chapelle Sixtine. L'Église fait de nouveau appel à Michel-Ange : *le Jugement dernier* est l'une des dernières réalisations du peintre à l'intérieur de la principale chapelle du Vatican, la *capella Sistina*, la chapelle Sixtine. En juillet 1533, le pape Clément VII, vraisemblablement impressionné par le stupéfiant travail qu'avait accompli le peintre un quart

La composition du Jugement dernier est régie par l'extraordinaire tumulte que l'artiste a voulu évoquer pour illustrer cet épisode.

de siècle plus tôt sur la voûte du même lieu, décide de lui commander la réalisation d'une fresque qui devra recouvrir deux grands murs de la chapelle.

L'exécution de cette œuvre monumentale nécessite dans un premier temps l'élimination de deux fresques préexistantes dans les arcs de cercle en haut des murs, et qui représentaient des ancêtres du Christ en écho à ceux qu'accueillent les autres lunettes du bas de la voûte, signées par Michel-Ange entre 1508 et 1512. N'ayant confiance en personne d'autre qu'en lui-même, l'artiste travaille seul, selon son habitude. La somme d'énergie demandée est loin de l'effrayer : à près de soixante ans, il s'engage sur les échafaudages d'un chantier qui durera presque sept ans.

Une peinture baroque et tourmentée

L'illustration de ce passage biblique par Michel-Ange rompt avec la représentation traditionnellement utilisée : la classique ordonnance symétrique des personnages habituellement utilisée dans ce cas laisse ici la place à un foisonnant tourbillon dramatique. Personne jusqu'ici n'avait osé troubler cette apaisante certitude, celle qui

LE JUGEMENT DERNIER: LES RESTAURATIONS

Quatorze années ne furent pas de trop pour donner une seconde jeunesse à l'un des chefs-d'œuvre de la Renaissance italienne. Cette entreprise constitue un événement hors du commun, puisqu'elle fut commanditée par un seul homme, un Japonais, Yosoji Kobayashi, président de la grande chaîne de télévision nipponne, NTV, et grand admirateur de la culture européenne. Le déroulement des travaux fut également filmé depuis son commencement par cette même société. Cette opération de mécénat est unique en son genre.

donne à chacun son statut le jour du Jugement, d'une claire et précise distribution chrétienne de cette allégorie.
Ici, la multitude s'impose d'emblée. La figure du Christ demeure tout de même centrale, son corps athlétique se détachant sur un fond jaune. Marie, serrée à sa droite, a l'air comme lui d'échapper à l'impétueux mouvement de la scène, et se protège, d'un geste empreint

L'harmonie corporelle du Christ est accentuée par le mouvement ample des bras qui l'anime.

de pudeur, de la colère de son fils. Le Christ représenté ici ne semble guère compatissant à l'égard des saints qui l'entourent (on reconnaît saint Barthélemy exhibant sa propre peau, car ses bourreaux l'écorchèrent, sainte Catherine d'Alexandrie désignant la roue sur laquelle elle fut suppliciée, saint Laurent tenant le gril de son martyre,...), ni empreint de sentiment de pitié envers les damnés. Son bras fougueusement levé au dessus de sa tête inspire la retraite, voire la peur. Les acteurs habituels de cette scène sont étonnamment noyés dans une foule confuse de personnages non identifiés, qui adoptent également des postures de défense face au courroux divin qui n'épargne personne.

Une fascination pour le corps humain

L'image traditionnelle de la sainteté n'intéresse visiblement pas Michel-Ange qui met un point d'honneur à n'accorder pratiquement aucun des attributs traditionnels aux personnages du tableau ; ici, aucune auréole et quasiment aucun des vêtements qui personnaliseraient les figures.

Pour accéder aux étages supérieurs des musées, les visiteurs empruntent l'escalier hélicoïdal conçu par Giuseppe Momo.

Qui possède quelques informations même mineures sur le maître peut aisément expliquer son choix : peintre, mais également sculpteur, Michel-Ange a toujours eu une prédilection pour le corps humain, les infinies possibilités plastiques qu'offre son anatomie. Songeons par exemple à l'admirable Adam, trait de génie d'un Michel-Ange inspiré et lyrique, qui reçoit la bénédiction divine sur la voûte de la chapelle. De plus, l'artiste vieillissant, témoin de sa propre flétrissure, dépeint ici des corps toujours vigoureux, mais que la mort épie néanmoins. La musculature des personnages elle-même ne possède plus autant de signes de la jeunesse, de la fraîcheur que rien ne peut altérer, et du triomphe. Michel-Ange lui-même s'est représenté dans le décor, sous la forme la plus repoussante qui soit : le visage du Barthélemy écorché vif par ses persécuteurs est en effet le sien.

La pénitence comme preuve de la foi

Si la cruauté reste le leitmotiv de cette œuvre, elle traduit surtout l'état d'esprit d'un homme qui doute, au crépuscule de sa vie mais qui exprime dans ses travaux une foi inébranlable qui mérite comme récompense une nécessaire rédemption. L'atmosphère qui se dégage du *Jugement dernier* lui est toute personnelle. La fresque de la Sixtine est de ce fait puissamment évocatrice et visionnaire. Le monde infernal rougeoie sous la puissante couleur bleue dont la vocation est de donner une unité au chaos des contorsions humaines. Michel-Ange imprime ici à son œuvre une envolée grandiose qui constitue une introduction au baroque. C'est là qu'il faut reconnaître la griffe d'un génie qui propulse l'esprit au-delà de son temps. Le rayonnement de l'œuvre a très vite dépassé les frontières vaticanes pour s'imposer comme une des créations artistiques les plus novatrices de l'histoire de l'art. Elle fut tellement audacieuse que Pie IV ordonna au peintre Daniele da Volterra de faire recouvrir d'un chaste voile les nudités triomphantes du maître...

Les musées du Vatican

Couvrant par leur superficie presque un dixième de l'État du Vatican, les musées forment un vaste ensemble composé de 1 400 salles et chapelles, de 42 000 m², le tout s'élevant sur deux étages. Dix siècles de trésors artistiques sont conservés dans cette enceinte. Des milliers d'œuvres se côtoient, de la voûte de la Sixtine aux chambres de Raphaël, en passant par la bibliothèque, la galerie des Cartes... Une architecture aux magnifiques perspectives leur sert d'écrin, le contenant n'étant pas de moindre qualité par rapport au contenu. Ces bâtiments étaient au départ des palais construits à diverses époques de la Renaissance, sous l'autorité des papes Sixte IV, Innocent VIII et Jules II. C'est à Innocent VIII que l'on doit le palais du Belvédère. La plupart des cours et des galeries joignant le palais aux autres édifices furent dessinées par Bramante pour Jules II.

C'est au XVIIIᵉ siècle que fut présentée pour la première fois au public la prestigieuse collection papale ; en cette occasion, plusieurs bâtiments furent ajoutés à l'architecture préexistante. Chaque salle, chaque galerie, renfermant une multitude de trésors rappelle au visiteur combien les princes de l'Église possédaient, surtout pendant la Renaissance, le goût du faste et développaient de manière insatiable le culte du Beau. Même s'il est impossible d'embrasser en une seule fois la totalité des richesses d'une des plus vastes collections du monde, il convient de ne pas négliger certaines pièces essentielles.

Les différentes visites guidées

Face à l'immense ensemble constitué par les multiples salles du musée, les autorités ont dû penser au parcours des visiteurs : il existe quatre itinéraires différents (qui se distinguent par des panneaux de couleur) en durée et en longueur qui ont en commun la visite de la chapelle

La galerie des Cartes, impressionnante par ses proportions (120 mètres de long), rassemble 32 fresques réalisées au XVIᵉ siècle. Ces plans constituent une véritable cartographie des États de l'Église à l'époque de la Renaissance.

Sixtine. Chaque parcours est fléché et se pratique à sens unique. L'itinéraire jaune dure cinq heures, le vert, trois heures et demie et le marron, trois heures. Le violet, quant à lui, est un véritable sprint en dix étapes.

L'art égyptien et assyrien

Au premier étage du palais du Belvédère se trouvent exposées les antiquités égyptiennes, comprenant une importante collection de papyrus, des statues, des momies et des sarcophages, ainsi que bon nombre d'objets funéraires. On remarquera une statue monumentale de la mère de Ramsès II, la reine Touya, datant du XIIIᵉ siècle av. J.-C. et dont la découverte remonte à 1714. Des fragments de bas-reliefs provenant d'un palais assyrien illustrent des scènes de batailles.

L'art étrusque et préromain

Les pièces de cette collection remontent au premier siècle av. J.-C. La salle des bronzes contient une grande quantité de vases, de statues et de figurines en terre cuite. Une collection de poteries grecques découvertes dans les tombeaux étrusques enrichit la collection des vases.

L'art gréco-romain

Les antiquités gréco-romaines constituent l'un des plus riches trésors des musées du Vatican. Elles ont d'ailleurs investi une bonne partie de l'architecture et demeurent incontournables. C'est sous le pontificat de Jules II (1503-1513) que remonte la répartition des collections autour de la cour du Belvédère. La seconde partie se trouve au musée Pio-Clementino, construit au XVIIIe siècle. Des œuvres magistrales et fondatrices sont exposées dans la cour octogonale : deux, l'Apollon du Belvédère et l'Apoxyomène sont des répliques de bronzes grecs et répondent aux canons de la beauté classique. N'ou-

*L'*Apollon, exposé non loin du Laocoon, dans la cour du palais du Belvédère, est une copie romaine d'une statue originale grecque. Elle représente aux yeux des spécialistes l'idéal de la beauté classique.

blions pas de mentionner le Laocoon, un groupe en marbre découvert en 1506, datant du Ier siècle av. J.-C. et représentant le prêtre troyen Laocoon luttant avec ses fils contre des serpents. Datant du XIXe siècle, le musée Chiaramonti possède, entre autres, une tête colossale de la déesse Athéna. Parallèlement au musée Chiaramonti, le musée Braccio Nuovo, orné de mosaïques romaines, réunit des spécimens importants de la statuaire romaine retrouvés après la défaite napoléonienne. Situé dans une aile plus moderne, le musée grégorien présente une chronologie de l'évolution de l'art romain depuis le modèle grec.

L'art paléochrétien et médiéval

L'art paléochrétien se trouve au musée chrétien, situé dans la même aile que le musée grégorien, qui fut fondé au XIXe siècle et rassemble des épigraphes et des sculptures provenant des premières basiliques chrétiennes. Le visiteur pénètre ensuite dans la pinacothèque, dont les deux premières salles sont consacrées au crépuscule

du gothique : on peut y admirer des retables, dont un signé par le génial Giotto : le polyptyque Stefaneschi (exécuté vers 1300).

L'art, de la fin du Moyen Âge au XIXᵉ siècle

Les galeries réparties autour de la cour du Belvédère présentent les œuvres recueillies par les mécènes pontificaux, dont l'attention était particulièrement aiguisée durant la période de la Renaissance.

La galerie des Tapisseries présente des tapisseries de Bruxelles. Des tapisseries flamandes du XVᵉ siècle ornent les appartements de Pie V.

La galerie des Cartes géographiques, longue de 120 mètres, rassemble quarante cartes murales dont trente deux sont des fresques : elles ont été commanditées par Grégoire XIII entre 1580 et 1583 et représentent toutes les régions

Vue centrale de la sala regia, construite sous le pontificat de Paul III par l'architecte Antonio da Sangallo le Jeune.

italiennes et tous les territoires de l'Église à cette époque. Des artistes engagés plus tard par Urbain VIII les complétèrent.

Les chambres de Raphaël : en 1508, le pape Jules II demanda au peintre Raphaël et à ses élèves d'exécuter une série de fresques destinées à décorer ses appartements. Leur réalisation s'étalera sur seize années, et l'artiste mourra avant son achèvement. Les appartements comprennent la salle de Constantin, la chambre d'Héliodore, la chambre de la Signature et la chambre de l'Incendie du Borgo.

La Pinacothèque vaticane présente également un riche éventail d'œuvres peintes de la Renaissance, notamment la *Pietà* datant du XVᵉ siècle de Giovanni Bellini (v. 1430-1516). Pour le XVIᵉ siècle, le retable de Titien (v. 1490-

1576), la descente de croix du Caravage (v. 1573-1610). Une des salles est exclusivement réservée aux œuvres de Raphaël dont la superbe *Transfiguration*, huile sur bois de 405 cm de haut sur 278 cm de large. C'est le dernier tableau de l'artiste, que l'on retrouva à sa mort en 1520 dans son atelier, quasi achevé.

L'art contemporain

Le fond contemporain du Vatican est assez restreint et plutôt discret, noyé sous la production des maîtres anciens ; le seul élément incontournable étant l'escalier hélicoïdal, qu'empruntent les visiteurs pour accéder aux étages supérieurs des musées ; il est l'œuvre d'un artiste des années 1930, Giuseppe Momo. Le sculpteur Antonio Maraini lui ajouta une rampe en bronze. Citons également, travaillée

La bibliothèque offre aux regards du public certains manuscrits et objets précieux non protégés par des vitrines.

dans le même métal, une gigantesque pomme de pin provenant d'une fontaine du Iᵉʳ ou IIᵉ siècle et installée dans la cour de la Pigne en 1608. Les œuvres picturales contemporaines ont été placées dans les appartements Borgia et ont été inaugurées par Paul VI en 1973. Des tableaux de Paul Klee (1879-1940), Georges Braque (1882-1963), Edvard Munch (1863-1944), entre autres, s'y côtoient.

La bibliothèque apostolique

La bibliothèque Vaticane est la gardienne de manuscrits uniques au monde. Dès les origines, les souverains pontifes ont toujours conservé précieusement les documents et les livres qui leur étaient nécessaires. Mais ce n'est qu'à partir du XIIᵉ siècle que la trace d'un lieu les regroupant est mentionnée ; la première bibliothèque remonte à l'époque du règne de Boniface VIII (1294-1303). Depuis, elle n'a cessé de croître, et l'espace

qui lui était décerné s'est agrandi en conséquence. Le pape Sixte IV (1414-1484), quant à lui, fait aménager dans l'enceinte vaticane quatre salles spécialisées : la salle grecque, la salle latine, la bibliothèque secrète et la bibliothèque pontificale (ou archives). Mais ces pièces se révèlent bientôt beaucoup trop exiguës ; en 1587, le pape Sixte Quint commande la construction d'un nouveau bâtiment, coupant en deux la grande cour conçue auparavant par Bramante.

Les différentes collections

Présentes dans la bibliothèque, ces collections sont réparties en trois départements bien distincts. Tout d'abord, les manuscrits. Il en existe environ 70 000, classés par langues ou par systèmes d'écriture pour les langues non européennes. Ensuite, les imprimés, qui sont au nombre d'un million. Enfin, le département des objets, lui-même subdivisé en plusieurs sections : la section des envois, le cabinet de numismatique, celui des objets provenant des catacombes, et enfin la pièce renfermant les antiquités grecques et latines.

Une seule partie de la bibliothèque est accessible au public. C'est là que d'autres types d'objets sélectionnés avec soin sont exposés en vitrine : des manuscrits, des incunables (c'est-à-dire des ouvrages qui datent des premiers temps de l'imprimerie), mais aussi, bien sûr, tous les magnifiques objets du culte chrétien que sont les icônes, les chasubles, les reliquaires, les ostensoirs, tous rehaussés d'or ou d'argent, et garnis d'émaux ou de pierres précieuses.

LES GRANDES DATES DE JEAN-PAUL II

1920

■ **18 mai**
Naissance à **Wadowice**, près de Cracovie, de Karol Wojtyla, deuxième fils de **Karol Wojtyla** et de **Emilia Kaczorowska**.

1929

Mort de sa mère.

1938

Mort de son frère aîné, **Edward**. Il s'inscrit à la faculté des lettres de **l'université Jagellon** de Cracovie.

1939

■ **1er septembre**
Il assiste à la messe dans la cathédrale de Wawel au moment où les Allemands commencent à pilonner la ville.

1941

Mort de son père.

1942

■ **1er septembre**
Il s'inscrit au séminaire rattaché à l'université clandestine Jagellon.

1944

■ **octobre**
Karol Wojtyla vit clandestinement dans les locaux du palais épiscopal.

1945

■ **17 janvier**
Libération de la ville de Cracovie par les troupes de l'armée Rouge.

1946

■ **novembre**
Il est ordonné **prêtre**.

1946-1948

Études supérieures à Rome pour compléter sa formation théologique.

1948

Retour en Pologne. Karol Wojtyla soutient sa **thèse de doctorat** sur la foi dans la pensée de saint Jean de la Croix.

1949

Nommé **premier vicaire** dans la paroisse de Niegowic dans le diocèse de Tarnow, à l'est de Cracovie.

1950

■ **14 avril**
Signature entre le pouvoir communiste et l'Église d'un accord politique.

1951

Nommé premier vicaire de la paroisse la plus importante de Cracovie, **Saint-Florian**.

1952

Il entame son **doctorat** de philosophie consacré au philosophe allemand Max Scheler.

1953

■ **24 septembre**
Le cardinal Wyszynski est condamné à un isolement qui s'achèvera en 1956 lors du printemps polonais.

■ **9 novembre**
Par décret, le gouvernement communiste polonais impose son contrôle strict sur toutes les nominations aux fonctions ecclésiastiques.

■ Il est nommé **professeur de théologie morale et d'éthique sociale** à la faculté de théologie de Cracovie.

1954

Suppression par le pouvoir communiste de la faculté de théologie de Cracovie.

1956

Fondation par Karol Wojtyla d'un **Institut de morale** à l'université catholique de Lublin où il occupe depuis 1954 la chaire d'éthique.

1958

■ **28 septembre**
Nommé **évêque auxiliaire** de Cracovie.

1960

Il publie *Amour et responsabilité.*

1962

Désigné comme administrateur intérimaire du diocèse de Cracovie.

1964

■ **13 janvier**
Nommé par le pape Paul VI **archevêque de Cracovie**. Il sera consacré le 13 juin.

1967

■ **29 mai**
Nommé **cardinal** par Paul VI.

■ **septembre**
Il ne se rend pas au synode convoqué par le pape pour protester contre le refus des autorités polonaises d'accorder un passeport au cardinal Wyszynski.

1969

■ **11-27 octobre**
Lors du synode extraordinaire consacré à « l'épiscopat, la collégialité, le pape, Rome et les Églises locales », il défend le principe de collégialité dans le gouvernement de l'Église.

1971

Élu (au deuxième tour) en 3e place au concilium de la Secrétairerie générale, à Rome.

■ **30 septembre - 6 novembre**
Intervention remarquée lors du deuxième synode consacré au sacerdoce ministériel et à la justice dans le monde. Sur la question du célibat des prêtres, hostile aux modernistes hollandais, il défend la « connaturalité entre le célibat et le sacerdoce ».

1974

■ **27 septembre-26 octobre**
Au cours du troisième synode consacré à l'évangélisation, il intervient de manière critique envers la théologie de la libération, rappelant que le marxisme ne laissait à l'Église aucune chance d'exister.

1976

Paul VI le choisit pour assurer la prédication du Carême.

■ **août**
Participe au congrès eucharistique de Philadelphie.

1978

Nommé membre de la congrégation pour l'éducation catholique.

■ **16 octobre**
Élection de Karol Wojtyla au trône de Saint-Pierre.

■ **17 octobre**
Première messe concélébrée dans la chapelle Sixtine par le nouveau pape.

■ **22 octobre**
Entrée en charge de Jean-Paul II et premier discours.

1979

■ **25-31 janvier**
Premier voyage apostolique hors d'Italie, au Mexique et en Amérique centrale.

■ **17 février**
Discours devant la rote romaine consacré à l'Église, rempart des droits de la personne.

■ **4 mars**
Publication de sa première encyclique *Redemptor hominis,* sur l'eschatologie.

■ **2-9 juin**
Deuxième voyage apostolique et premier voyage en Pologne.

■ **29 septembre-1er octobre**
Première phase du troisième voyage apostolique et premier voyage en Irlande.

■ **1er-7 octobre**
Deuxième phase du troisième voyage apostolique et premier voyage aux États-Unis. **Première intervention très remarquée** devant l'Assemblée générale des Nations unies, à New York (2 octobre).

■ **16 octobre**
Publication de l'exhortation papale postsynodale *Catechesi Tradendæ.*

■ **29-30 novembre**
Quatrième voyage apostolique et premier voyage en Turquie. Le souverain pontife rend visite au patriarche orthodoxe de Constantinople.

■ Il nomme Agostino Casaroli à la fonction de secrétaire d'État en remplacement de Mgr Jean-Marie Villot récemment décédé.

1980

■ **4 février**
Prononce un discours devant la rote romaine consacré aux procès en nullité de mariage.

■ **2-12 mai**
Cinquième voyage apostolique et premier voyage en Afrique noire (successivement au Zaïre, au Congo, au Kenya, au Ghana, au Burkina Faso et en Côte-d'Ivoire).

■ **30 mai-2 juin**
Sixième voyage apostolique et premier voyage en France. Il se rend à Paris puis à Lisieux, pour vénérer **sainte Thérèse de l'Enfant-Jésus.** Il intervient également devant l'assemblée générale de l'UNESCO.

■ **29 juin-10 juillet**
Septième voyage apostolique et premier voyage au Brésil.

■ **septembre-25 octobre**
Jean-Paul II organise le cinquième synode consacré à la place de la famille chrétienne dans le monde d'aujourd'hui.

■ **14-20 novembre**
Huitième voyage apostolique et premier voyage en Allemagne fédérale.

■ **30 novembre**
Publication de sa deuxième encyclique *Dives in misericordia,* consacrée à la charité chrétienne.

1981

■ **janvier**
Prononce un discours devant la rote romaine consacré à la sauvegarde des valeurs du mariage.

■ **16-27 février**
Neuvième voyage apostolique et premier voyage en Asie, aux Philippines, au Japon. Au retour, il fait escale en Alaska (États-Unis).

■ **13 mai**
Victime d'une tentative d'assassinat lors d'une audience publique place Saint-Pierre. À **17h 12,** le pape qui circulait dans une voiture découverte, est atteint de plusieurs balles de revolver tirées par un ressortissant turc du nom d'**Ali Agça** homme de main déjà responsable

d'attentats contre des personnalités politiques dans son propre pays.

■ 14 septembre

Publication de sa troisième encyclique
Laborem exercens, sur le travail.

■ novembre

Publication de l'exhortation papale postsynodale *Familiaris consortio*.

1982

■ 28 janvier

Prononce un discours devant la rote romaine consacré à la reconnaissance de
la valeur du mariage.

■ 12-19 février

Dixième voyage apostolique et deuxième
voyage en Afrique (au Nigeria, au
Gabon, au Bénin et en Guinée équato-
riale).

■ 12-14 mai

Onzième voyage apostolique et premier
voyage au Portugal (pélerinage à Fatima).

■ 28 mai-2 juin

Douzième voyage apostolique et premier
voyage en Grande-Bretagne.

■ 11-12 juin

Treizième voyage apostolique et premier
voyage en Argentine.

■ 15 juin

Quatorzième voyage apostolique et premier voyage à Genève. Interventions auprès des organisations internationales :
OIT, Croix-Rouge, CERN.

■ 29 août

Quinzième voyage apostolique et premier voyage à Saint-Marin.

■ 15 septembre

Jean-Paul II reçoit en audience le chef
de l'Organisation de Libération de la Palestine (OLP), Yasser Arafat.

■ 31 octobre-9 novembre

Seizième voyage apostolique et premier
voyage en Espagne.

1983

■ 25 janvier

Jean-Paul II fait aboutir les travaux
initiés par un de ses prédécesseurs,
Jean XXIII, en autorisant la publication
du nouveau Code de droit canonique
(constitution apostolique *Sacrae discipli-
nae leges*).

■ 26 février

Prononce un discours devant la rote romaine consacré aux instances juridiques
en action dans la communauté ecclésiale.

■ 2-9 mars

Dix-septième voyage apostolique et
deuxième voyage en Amérique centrale
(au Costa Rica, au Nicaragua, au Pa-
nama, au Salvador, au Guatemala, au
Honduras, au Belize et en Haïti).

■ 16-23 juin

Dix-huitième voyage apostolique et
deuxième voyage en Pologne.

■ 14-15 août

Dix-neuvième voyage apostolique et
deuxième voyage en France (pélerinage
à Lourdes).

■ 10-13 septembre

Vingtième voyage apostolique et premier
voyage en Autriche.

■ 29 septembre-29 octobre

Jean-Paul II organise le cinquième synode consacré à la réconciliation et à
la pénitence dans la mission de l'Église.

■ 27 décembre

Jean-Paul II rencontre dans la prison de
Rebibbia, à Rome, Ali Agça qui avait
tenté de l'assassiner deux ans plus tôt.

1984

■ 26 janvier

Jean-Paul II prononce un discours devant la rote romaine consacré à l'urgence d'appliquer le nouveau Code de
droit canonique, en vigueur officiellement depuis le 27 novembre 1983.

■ 2-12 mai

Vingt-et-unième voyage apostolique et
deuxième voyage en Asie (Corée du
Sud). Premier voyage en Océanie (en
Papouasie-Nouvelle-Guinée, aux îles Sa-
lomon, en Thaïlande).

■ 12-17 juin

Vingt-deuxième voyage apostolique et
deuxième voyage en Suisse à l'occasion
du Conseil œcuménique des Églises.

■ 9-20 septembre

Vingt-troisième voyage apostolique et
premier voyage effectué au Canada.

■ 10-13 octobre

Vingt-quatrième voyage apostolique et
deuxième voyage en Espagne (Sara-

gosse) et troisième en Amérique centrale (Antilles : république Dominicaine
et Porto Rico).

■ 2 décembre

Publication de l'exhortation papale postsynodale *Reconciliatio et pænitentia*.

1985

■ 26 janvier-6 février

Vingt-cinquième voyage apostolique et
troisième voyage en Amérique du Sud
(Venezuela, Équateur, Pérou) et quatrième en Amérique centrale (Trinité-
et-Tobago).

■ 11-21 mai

Vingt-sixième voyage apostolique et premier voyage aux Pays-Bas, au Luxembourg et en Belgique.

■ 2 juin

Jean-Paul II publie sa quatrième encyclique *Slavorum apostoli*.

■ 10-19 août

Vingt-sixième voyage apostolique et troi-
sième voyage en Afrique (au Togo, en
Côte-d'Ivoire, au Cameroun, au Zaïre, au
Kenya, en Centrafrique et au Maroc).

■ 8 septembre

Vingt-septième voyage apostolique et
premier voyage au Lichtenstein.

■ 24 novembre-8 décembre

Jean-Paul II organise un synode extraordinaire sur l'héritage de Vatican II.

1986

■ 30 janvier

Jean-Paul II prononce un discours devant la rote romaine consacré au service
de la vérité et de la justice.

■ 1-10 février

Vingt-huitième voyage apostolique et
premier voyage en Inde.

■ 18 mai

Jean-Paul II publie sa cinquième encyclique *Dominum et vivificantem*.

■ 1-7 juillet

Vingt-neuvième voyage apostolique et
quatrième voyage en Amérique du Sud
(Colombie).

■ 4-7 octobre

Trentième voyage apostolique et troisième voyage en France (Lyon, Taizé,
Paray-le-Monial, Ars, Annecy).

■ **19-30 novembre**

Trente-et-unième voyage apostolique et troisième voyage en Asie (Bangladesh, Singapour et Seychelles, au retour) et en Océanie (îles Fidji, Nouvelle-Zélande, Australie).

1987

■ **7 février**

Jean-Paul II prononce un discours devant la rote romaine consacré à la difficile recherche des causes psychologiques de nullité du mariage.

■ **25 mars**

Jean-Paul II publie sa sixième encyclique *Redemptoris Mater,* sur la Vierge Marie.

■ **31 mars - 12 avril**

Trente-deuxième voyage apostolique et cinquième voyage en Amérique du Sud (Uruguay, Chili, Argentine).

■ **30 avril - 4 mai**

Trente-troisième voyage apostolique et deuxième voyage en République fédérale allemande.

■ **8-14 juin**

Trente-quatrième voyage apostolique et troisième voyage en Pologne.

■ **25 juin**

Jean-Paul II reçoit au Vatican le chef de l'État autrichien Kurt Waldheim, mis au ban de la communauté internationale après les révélations concernant ses activités durant la Seconde Guerre mondiale.

■ **10-20 septembre**

Trente-cinquième voyage apostolique et troisième voyage aux États-Unis.

■ **1er-30 octobre**

Jean-Paul II organise le septième synode consacré à la vocation et à la mission de l'Église dans le monde, vingt ans après le concile de Vatican II.

■ **30 décembre**

Jean-Paul II publie sa septième encyclique *Sollicitudo rei socialis.*

1988

■ **25 janvier**

Jean-Paul II prononce un discours devant la rote romaine consacré à la défense du lien au service de la vision chrétienne du mariage.

■ **7-18 mai**

Trente-sixième voyage apostolique et sixième voyage en Amérique du Sud (en Uruguay, en Bolivie, au Pérou, au Paraguay).

■ **19 juin**

Jean-Paul II béatifie 117 catholiques martyrisés aux XVIIIe et XIXe siècles au Viêtnam.

■ **23-27 juin**

Trente-septième voyage apostolique et deuxième voyage en Autriche.

■ **30 juin**

Jean-Paul II excommunie Mgr Marcel Lefebvre et ses disciples.

■ **10-19 septembre**

Trente-huitième voyage apostolique et quatrième voyage en Afrique (au Zimbabwe, au Botswana, au Lesotho, au Swaziland, en Mozambique).

■ **8-11 octobre**

Trente-neuvième voyage apostolique et quatrième voyage en France.

■ **30 décembre**

Publication de l'exhortation papale postsynodale *Christifideles laici,* sur le rôle des laïcs dans l'Église.

1989

■ **26 janvier**

Jean-Paul II prononce un discours devant la rote romaine consacré à la garantie et à la réglementation du droit à la défense par la loi.

■ **28 avril - 6 mai**

Quarantième voyage apostolique et cinquième voyage en Afrique (à Madagascar, en Zambie et au Malawi) et à La Réunion.

■ **1er-10 juin**

Quarante-et-unième voyage apostolique et premier voyage dans les pays scandinaves (en Norvège, en Islande, en Finlande, au Danemark et en Suède).

■ **19-21 août**

Quarante-deuxième voyage apostolique et troisième voyage en Espagne (à Saint-Jacques-de-Compostelle et dans les Asturies). (Journée mondiale de la jeunesse.)

■ **6-16 octobre**

Quarante-troisième voyage apostolique et quatrième voyage en Asie (en Corée du Sud, en Indonésie) et à l'île Maurice.

1990

■ **18 janvier**

Jean-Paul II prononce un discours devant la rote romaine consacré à la dimension pastorale du droit canonique.

■ **25 janvier - 1er février**

Quarante-quatrième voyage apostolique et sixième voyage en Afrique (au Cap-Vert, en Guinée-Bissau, au Mali, au Burkina Faso, au Tchad).

■ **21-22 avril**

Quarante-cinquième voyage apostolique et premier voyage en Tchécoslovaquie.

■ **6-14 mai**

Quarante-sixième voyage apostolique et deuxième voyage au Mexique. Retour par Curaçao.

■ **25-27 mai**

Quarante-septième voyage apostolique et premier voyage à Malte.

■ **1er-10 septembre**

Quarante-huitième voyage apostolique et septième voyage en Afrique (en Tanzanie, au Burundi, au Rwanda, en Côte-d'Ivoire, avec la bénédiction de la cathédrale monumentale de Yamoussoukro, dont la construction a été décidée par le président Houphouët-Boigny).

■ **30 septembre - 27 octobre**

Jean-Paul II organise le huitième synode consacré à la formation des prêtres.

■ **18 octobre**

Promulgation du Code des canons des Églises orientales (constitution apostolique *Sacri canones*) par Jean-Paul II. Il s'agit là de la première codification du droit des Églises orientales qui sont au nombre de 21.

■ **7 décembre**

Jean-Paul II publie sa huitième encyclique *Redemptoris missio,* sur le rôle des missions et des missionnaires.

■ À la mort de Mgr Casaroli, il nomme prosecrétaire d'État Mgr Angelo Soldano qui deviendra secrétaire d'État en 1991.

1991

■ **28 janvier**

Jean-Paul II prononce un discours devant la rote romaine consacré à la proposition dans son intégrité de la doctrine évangélique sur le mariage.

1er mai

Jean-Paul II publie sa neuvième encyclique *Centesimus annus*, pour commémorer le centenaire de l'encyclique de Léon XIII, consacrée à la condition des ouvriers et qui est une présentation de la doctrine sociale de l'Église. Il s'agit de l'unique encyclique à donner lieu à des commentaires successifs à l'occasion d'anniversaires (Pie XI, en 1931, Jean XXIII, en 1961).

10-13 mai

Quarante-neuvième voyage apostolique et deuxième voyage au Portugal (pélerinage à Fatima).

1er-9 juin

Cinquantième voyage apostolique et quatrième voyage en Pologne, le premier depuis la chute du communisme.

13-20 août

Cinquante-et-unième voyage apostolique et cinquième voyage en Pologne (pélerinage à la Vierge noire de Czestochowa) et premier en Hongrie.

12-21 octobre

Cinquante-deuxième voyage apostolique et deuxième au Brésil.

28 novembre - 14 décembre

Jean-Paul II préside un synode regroupant les évêques d'Europe.

1992

23 janvier

Jean-Paul II prononce un discours devant la rote romaine consacré à l'immutabilité de la loi divine, à la stabilité du droit canonique et à la dignité de l'homme.

19-26 février

Cinquante-troisième voyage apostolique et huitième voyage en Afrique (au Sénégal, en Gambie et en Guinée).

25 mars

Publication de l'exhortation papale postsynodale *Pastores dabo vobis*.

4-10 juin

Cinquante-quatrième voyage apostolique et neuvième voyage en Afrique (en Angola, à Sao Tomé et Principe).

29 juillet

Ouverture officielle des négociations entre le Vatican et Israël dans le but d'aboutir à une reconnaissance *de jure* des deux États. Le Vatican ayant déjà rendu publique sa reconnaissance *de facto*.

9-14 octobre

Cinquante-cinquième voyage apostolique et troisième dans les Antilles (à Saint-Domingue).

1993

6 janvier

Jean-Paul II préside le premier synode rassemblant tous les évêques d'Afrique.

3-10 février

Cinquante-sixième voyage apostolique et dixième voyage en Afrique (au Bénin, en Ouganda et au Soudan).

25 avril

Cinquante-septième voyage apostolique et premier en Albanie (à Shkodra).

12-17 juin

Cinquante-huitième voyage apostolique et quatrième voyage en Espagne.

9-15 août

Cinquante-neuvième voyage apostolique et quatrième en Amérique du Nord (au Mexique et aux États-Unis) et dans les Antilles (en Jamaïque).

4-10 septembre

Soixantième voyage apostolique et premier dans les pays baltes (en Lituanie, en Lettonie et en Estonie).

5 octobre

Jean-Paul II publie sa dixième encyclique *Veritatis splendor*.

1994

30 mai

Publication d'une lettre apostolique intitulée *Ordinatio sacertotalis*, dans laquelle il rappelle que la prêtrise est exclusivement réservée aux hommes.

10-11 septembre

Soixante et unième voyage apostolique et premier en Croatie. Le pape a renoncé à se rendre à Sarajevo le 8, les Serbes de Bosnie ayant déclaré qu'ils ne pouvaient pas garantir sa sécurité.

30 octobre

En désignant 30 nouveaux cardinaux, Jean-Paul II a ajusté le collège des votants fixé par la procédure d'élection papale (120 cardinaux électeurs).

14 novembre

Publication d'une lettre apostolique consacrée au troisième millénaire dans laquelle Jean-Paul II demande à l'Église de faire pénitence pour les fautes commises en son nom au cours de l'histoire.

1995

12-21 janvier

Soixante-troisième voyage apostolique et cinquième en Asie et Océanie (aux Philippines, en Papouasie-Nouvelle-Guinée, en Australie et au Sri Lanka).

30 mars

Publication de sa onzième encyclique *Evangelium Vitae*, dans laquelle il dénonce l'avortement et la contraception.

21-22 mai

Soixante-quatrième voyage apostolique en République tchèque et en Pologne.

30 mai

Jean-Paul II publie sa douzième encyclique *Ut unum sint*, sur l'œcuménisme.

4 juin

Soixante-cinquième voyage apostolique et second en Belgique.

30 juin-3 juillet

Soixante-sixième voyage apostolique et premier en Slovaquie.

14-20 septembre

Soixante-septième voyage apostolique et onzième en Afrique (au Cameroun, en Afrique du Sud et au Kenya). À cette occasion, il rend publique une exhortation apostolique *Ecclesia in Africa*.

4-8 octobre

Soixante-huitième voyage apostolique et second à New York.

1996

14 avril

Soixante-dixième voyage et premier en Tunisie pour visiter la communauté chrétienne de Tunis.

20-23 juin

Soixante-douzième voyage apostolique et quatrième en Allemagne (Cologne, Berlin et Paderborn).

19-22 septembre

Soixante-quatorzième voyage apostolique et cinquième en France (Sainte-Anne-d'Auray, Vendée, Tours et Reims).

DE PIERRE À JEAN-PAUL II

Pape

Antipape (Pape considéré par l'Église comme irrégulièrement élu, et non reconnu par elle)

Vacance du Saint-Siège

M Martyre
30 - 67 Date de début et de fin de règne
❋ **Rome 100** Lieu et date de naissance
✝ **Rome 115** Lieu et date de mort
? Date inconnue

PIERRE (SAINT) M

30 - 64 ou 67

❋ **Bethsaïde (Galilée) ? - ✝ Rome 64 ou 67**

Disciple de Jésus, qui lui confia la direction de l'Église, il évangélisa principalement en Asie mineure, avant de se rendre dans la capitale impériale. Fut martyrisé sous le règne de Néron après deux années de captivité. Son corps aurait été enseveli dans une tombe près de la via Appia.

LIN (SAINT)

67 - 76

❋ **en Tuscie ? - ✝ Rome 76**

On ne dispose d'aucune information sur lui.

ANACLET OU CLET (SAINT)

76 - 91

❋ **Rome ? - ✝ Rome 91**

Son martyre est contesté.

CLÉMENT Ier (SAINT)

92 - 97

❋ **Rome ? - ✝ Rome 97**

Auteur d'une lettre pastorale aux Corinthiens, aurait connu Pierre.

ÉVARISTE (SAINT)

100 - 107

❋ **en Grèce ? - ✝ Rome 107**

Aucune source disponible sur lui.

ALEXANDRE Ier (SAINT)

108 - 115

❋ **Rome ? - ✝ Rome 115**

Tout ce qui lui a été attribué est apocryphe.

SIXTE Ier (SAINT)

115 - 125

❋ **Rome ? - ✝ Rome 125**

Passe pour avoir été enterré près de Pierre.

TÉLESPHORE (SAINT) M

125 - 136

❋ **en Grèce ? - ✝ Rome 136**

Peut-être le premier martyr depuis Pierre.

HYGIN (SAINT)

136 - 140

❋ **en Grèce ? - ✝ Rome 140**

Philosophe, a dû s'opposer aux gnostiques.

PIE Ier (SAINT)

140 - 155

❋ **Aquilée ? - ✝ Rome 155**

A mis au ban de l'Église Marcion le gnostique en 144.

ANICET (SAINT)

155 - 166

❋ **en Syrie ? - ✝ Rome 166**

Confirma la tradition romaine de fêter Pâques un dimanche.

SOTER (SAINT)

166 - 175

❋ **Fundi (Campanie) ? - ✝ Rome 175**

Fixa officiellement la date de Pâques au dimanche suivant le quatorzième jour du mois de Nisan.

ÉLEUTHERE (SAINT)

175 - 189

❋ **en Épire ? - ✝ Rome 189**

Affronte le développement du montanisme en Asie.

VICTOR Ier (SAINT)

189 - 199

❋ **en Afrique ? - ✝ Rome 199**

Impose l'usage romain de la fête de Pâques.

ZÉPHYRIN (SAINT)

199 - 217

❋ **Rome ? - ✝ Rome 217**

Adopte une position moyenne en face de deux tendances doctrinales : l'adoptianisme et le modalisme.

CALIXTE OU CALLISTE Ier (SAINT)

217 - 222

❋ **Rome v. 155 - ✝ Rome 222**

Affronte avec succès le schisme d'Hippolyte (217), le premier antipape de l'histoire du christianisme.

HIPPOLYTE

Premier antipape de l'histoire, de 217 à 235, connu pour sa conception rigoriste et son hostilité à l'indulgence de Calixte Ier. Il vécut de 170 environ à 236.

URBAIN Ier (SAINT) M

222 - 230
✳ Rome ? - ✝ Rome 230

Contribua à apaiser les conflits doctrinaux relatifs au schisme d'Hippolyte. (Règne : 8 ans.)

PONTIEN (SAINT)

230 - 28.9.235
✳ Rome ? - ✝ Rome 235

Victime des persécutions organisées sous l'empereur Maximin, il fut déporté et abdiqua après 4 ans de règne.

ANTÈROS (SAINT)

21.11.235 - 3.1.236
✳ en Grèce ? - ✝ en Grèce 236

Esclave affranchi, son règne ne dura que 6 semaines.

FABIEN (SAINT) M

10.1.236 - 20.1.250
✳ Rome ? - ✝ Rome 250

Organisa Rome en sept diaconies ou districts. (Règne : 14 ans.)

CORNEILLE (SAINT) M

6 ou 13.10. 251 - 06.253
✳ Rome ? - ✝ Civitavecchia 253

Se heurta dès son avènement au schisme de Novatien. Ce dernier contesta l'élection mais sa sécession fut réduite par l'action énergique de l'évêque Denys d'Alexandrie. (Règne : 2 ans et 3 mois.)

NOVATIEN

Antipape, il s'opposa en 251 à Corneille puis à Lucius Ier.

LUCIUS Ier (SAINT) M

25.6.253 - 5.3.254
✳ Rome ? - ✝ Rome 254

Pendant ce règne de 10 mois et demi, il eut à affronter le schisme de Novatien.

ÉTIENNE Ier (SAINT)

12.3.254 - 2.8.257
✳ Rome ? - ✝ Rome 257

Durant ce court règne de 3 ans et 5 mois, il s'opposa à saint Cyprien sur le problème du pardon à accorder aux hérétiques.

SIXTE II (SAINT) M

30.8.257 - 6.8.258
✳ en Grèce ? - ✝ Rome 258

Plus intransigeant que son prédécesseur, se rapproche de saint Cyprien durant son très court règne de 11 mois.

DENYS (SAINT)

22.7.259 - 26.12.268
✳ ? - ✝ Rome 268

Affirme l'autorité doctrinale de Rome sur les hérésies d'Alexandrie concernant la nature de la Trinité. (Règne : 9 ans et 5 mois.)

FÉLIX Ier (SAINT)

5.1.269 - 30.12.274
✳ Rome ? - ✝ Rome 274

Rencontre l'opposition de l'évêque d'Antioche, Parès, excommunié en 268. (Règne : 6 ans.)

EUTYCHIEN (SAINT)

4.1.275 - 7.12.283
✳ Luni (Étrurie) v. 220 - ✝ Rome 283

Son règne de 8 ans et 11 mois correspond à une phase d'accalmie dans les persécutions.

CAÏUS (SAINT)

17.12.283 - 22.4.296
✳ en Dalmatie ? - ✝ Rome 296

Ce règne de 12 ans et 5 mois a été favorable aux activités de prédication.

MARCELLIN (SAINT)

30.6.296 - 25.10.304
✳ Rome ? - ✝ Rome 304

Ce règne de 8 ans et 4 mois s'achève à partir de 303 par les persécutions de Dioclétien. Marcellin aurait sacrifié au culte de l'empereur et ainsi trahi sa foi.

Vacance du Saint-Siège : 304-308

Due à la grande persécution de Dioclétien et à plusieurs schismes consécutifs.

MARCEL Ier (SAINT)

juin 308 - janvier 309
✳ Rome ? - ✝ Rome 309

Banni par l'empereur Maxence après 7 mois et demi de règne. Affronta le cas des relapses.

EUSÈBE (SAINT)

18.4.309 - 17.8.309
✳ Grèce ? - ✝ Sicile 310

Banni au bout de 4 mois par Maxence, à la suite des troubles provoqués par l'attitude à prendre vis-à-vis des relapses.

MILTIADE OU MELCHIADE (SAINT)

2.7.311 - 11.1.314
✳ Afrique ? - ✝ Rome 314

Son court règne de 2 ans et 6 mois voit l'empereur Constantin assurer la victoire du christianisme à Rome avec l'« édit de Milan » qui fait suite à la défaite des armées de Maxence au pont Milvius.

SYLVESTRE Ier (SAINT)

31.1.314 - 31.12.335
✳ Rome ? - ✝ Rome 335

Premier très long règne de l'histoire des papes (21 ans et 11 mois). L'Église, pour la première fois également, n'a plus à craindre de nouvelles persécutions. Toutefois, en Orient, se développe à la fois la crise donatiste et l'hérésie arienne.

MARC (SAINT)

18.1.336 - 7.10.336
✳ Rome ? - ✝ Rome 336

Malgré la brièveté de son règne, 9 mois, il se fit remarquer par les nombreuses commandes de construction de lieux de culte dans la capitale impériale.

JULES Ier (SAINT)

16.2.337 - 12.4.352
✳ Rome 280 - ✝ Rome 352

Il combattit avec prudence l'arianisme. (Règne : 15 ans et 2 mois.)

LIBÈRE

17.5.352 - 24.9.366
✸ Rome ? - ✝ Rome 366

Son règne de 6 ans et 4 mois fut interrompu par l'antipape Félix II. Exilé en 355, il abandonne Athénase d'Alexandrie et redevient évêque de Rome en 358.

FÉLIX II

Félix II remplaça Libère sur ordre de l'empereur Constance de 355 à 358. Il décéda le 22 janvier 365.

DAMASE Iᵉʳ (SAINT)

1.10.366 - 11.12.384
✸ Espagne ? - ✝ Rome 384

Les débuts de ce long règne de 18 ans et 2 mois furent marqués par l'opposition d'un rival Ursin, dont il réussit à se débarrasser en 368.

URSIN

Durant deux ans, il contesta la validité de l'élection de Damase Iᵉʳ.

SIRICE (SAINT)

12.384 - 26.11.399
✸ Rome 320 - ✝ Rome 399

A publié en 385, la plus ancienne décrétale signée par un pape et conservée à nos jours. (Règne : 14 ans et 11 mois.)

ANASTASE Iᵉʳ (SAINT)

26.11.399 - 19.12.404
✸ Rome ? - ✝ Rome 404

Il condamne les thèses d'Origène. (Règne : 5 ans et 1 mois.)

INNOCENT Iᵉʳ (SAINT)

22.12.401 - 12.3.417
✸ Albane ? - ✝ Rome 417

Ce règne est marqué par le sac de Rome perpétré par le Goth Alaric en 410, alors que le pape était à Ravenne. (Règne : 15 ans et 3 mois.)

ZOSIME (SAINT)

18.3.417 - 26.12.418
✸ Grèce ? - ✝ Rome 418

Sa politique autoritaire suscite des conflits. Il absout puis condamne les thèses de Pélage. (Règne : 1 an et 10 mois.)

BONIFACE Iᵉʳ (SAINT)

28.12.418 - 4.9.422
✸ Rome ? - ✝ Rome 422

Nommé par la majorité du collège presbytéral, il doit surmonter l'hostilité de l'empereur Honorius qui lui préfère Eulalius. (Règne : 3 ans et 8 mois.)

EULALIUS

Élu en 418, au lendemain de la mort de Zosime, favori de l'empereur Honorius, il fut déposé en avril 419 par ce même empereur après avoir tenté un coup de force à l'encontre de son rival, Boniface Iᵉʳ.

CÉLESTIN Iᵉʳ (SAINT)

10.9.422 - 28.7.432
✸ Campanie ? - ✝ Rome 432

Bénéficiant du soutien de l'empereur Valentinien III, il condamne Nestorius, l'évêque de Constantinople. Prononce un sermon au concile d'Éphèse. (Règne : 9 ans et 10 mois.)

SIXTE III (SAINT)

31.7.432 - 19.8.440
✸ Rome ? - ✝ Rome 440

Au cours de son règne de plus de 8 ans, il soutient Cyrille d'Alexandrie contre Nestorius.

LÉON Iᵉʳ (LE GRAND) (SAINT)

29.9.440 - 10.11.461
✸ Volterra ? - ✝ Rome 461

Un des rares papes à être surnommé « le Grand », il régna pendant 21 ans et 1 mois. Il lança de grands travaux, protégea Rome des Vandales du roi Genséric, condamna le manichéisme. Ayant réussi à imposer la prééminence de Rome en Occident, il a cherché à conforter son influence en Orient.

HILAIRE (SAINT)

19.11.461 - 29.2.468
✸ Sardaigne ? - ✝ Rome 468

Combat le nestorianisme et mène une activité édilitaire. (Règne : 6 ans et 4 mois.)

SIMPLICIUS OU SIMPLICE (SAINT)

3.3.468 - 10.3.483
✸ Tibur ? - ✝ Rome 483

Il règne quinze ans.

FÉLIX II (III) (SAINT)

13.3.483 - 1.3.492
✸ Rome ? - ✝ Rome 492

Il excommunie l'évêque de Constantinople, Acace. (Règne : 9 ans.)

GÉLASE Iᵉʳ (SAINT)

1.3.492 - 21.11.496
✸ Rome ? - ✝ Rome 496

Gélase Iᵉʳ adopte une attitude tranchée envers les prétentions de l'évêque de Constantinople. Auteur de plusieurs grands traités doctrinaux. (Règne : 4 ans et 9 mois.)

ANASTASE II

24.11.496 - 19.11.498
✸ Rome ? - ✝ Rome 498

Contrairement à son prédécesseur Gélase Iᵉʳ, il adopte une attitude plus souple vis-à-vis du patriarche de Constantinople. (Règne : 2 ans.)

SYMMAQUE (SAINT)

22.11.498 - 19.7.514
✸ Sardaigne v. 450 - ✝ Rome 514

Tout le début de son pontificat est marqué par les problèmes de légitimité qui l'opposent à l'antipape Laurent. Il fut ensuite, au cours de ce long règne de 15 ans et 8 mois, le premier pape à attribuer le *pallium* (étole blanche passée autour du cou et symbolisant la plénitude de la fonction épiscopale) à un évêque non italien, Césaire d'Arles.

LAURENT

Antipape de 498 à 501.

HORMISDAS (SAINT)

20.7.514 - 6.8.523
✸ Frosinone ? - ✝ Rome 523

Durant ce pontificat d'une durée de 9 ans, les Églises orientales renoncent à la communion romaine.

JEAN Iᵉʳ (SAINT)

13.8.523 - 18.5.526
✸ en Toscane 470 - ✝ Ravenne 526

En conflit avec le roi des Goths, Théodoric, il fut le premier pape à se rendre à Constantinople. (Règne : 2 ans et 9 mois.)

FÉLIX III (IV) (SAINT)

12.7.526 - 22.9.530

✳ Bénévent ? - ✝ Rome 530

Gestionnaire efficace, il fut imposé à la charge épiscopale par le roi des Goths, Théodoric. (Règne : 4 ans et 2 mois.)

BONIFACE II

22.9.530 - 14.17.10.532

✳ Rome ? - ✝ Rome 532

Il dut s'imposer à son rival, l'antipape Dioscore jusqu'à la mort de ce dernier en octobre 530. (Règne : 2 ans et 1 mois.)

DIOSCORE

Cet antipape ne survécut que trois semaines après son élection contestée, en 530.

JEAN II

2.1.533 - 8.5.535

✳ Rome 470 - ✝ Rome 535

De son vrai nom Mercurius, il est le premier pape à avoir changé de nom pour occuper sa charge. (Règne : 2 ans et 4 mois.)

AGAPET Iᵉʳ (SAINT)

13.5.535 - 23.4.536

✳ Rome ? - ✝ Constantinople 536

Mort à l'occasion d'une mission de paix auprès de l'empereur byzantin Justinien, son corps est ramené à Rome. (Règne : 11 mois.)

SILVÈRE (SAINT)

1.6.536 - 25.3.537

✳ en Campanie ? - ✝ Palmaria 537

Imposé par le roi des Goths, Théodat, il est démis par le général byzantin Bélisaire. Envoyé en exil, il y meurt de faim le 2.12.537. (Règne : 1 an et 5 mois.)

VIGILE

29.3.537 - 7.6.555

✳ Rome ?- ✝ Syracuse 555

Désigné par Boniface sept ans plus tôt comme successeur éventuel, il est imposé par le général byzantin Bélisaire en mars 537, mais ne devient légitime qu'à la mort de Silvère (décembre). Il fut menacé à plusieurs reprises par Justinien lors de l'affaire des Trois chapitres. (Règne : 18 ans et 2 mois.)

PÉLAGE Iᵉʳ

16.4.556 - 3.3.561

✳ Rome v. 500 - ✝ Rome 561

Imposé par l'empereur byzantin Justinien, il intervient dans les questions orientales et suscite une grande opposition en Occident. (Règne : 4 ans et 11 mois et demi.)

JEAN III

17.7.561 - 13.7.574

✳ Rome ? - ✝ Rome 574

Malgré l'époque troublée, il parvient à maintenir l'Afrique du Nord en communion avec Rome. (Règne : 13 ans.)

BENOÎT Iᵉʳ

2.6.575 - 30.7.578

✳ Rome ? - ✝ Rome 578

Élu après une vacance du Saint-Siège de près d'un an due aux ravages effectués par les Lombards en Italie. (Règne : 3 ans et 2 mois.)

PÉLAGE II

26.11.579 - 7.2.590

✳ Rome 520 - ✝ Rome 590

Il fut un des rares pontifes à passer directement d'un monastère à la fonction papale. Il se heurta au schisme de l'évêque d'Aquilée sur la question des Trois chapitres. (Règne : 10 ans et 2 mois.)

GRÉGOIRE Iᵉʳ (LE GRAND) (SAINT)

3.9.590 - 12.3.604

✳ Rome v. 540 - ✝ Rome 604

Noble romain, il établit des relations durables avec les rois germaniques d'Occident et s'avéra un grand administrateur de son diocèse. On lui doit au niveau liturgique l'établissement du canon de la messe. Son rôle a été sensiblement mis en valeur par les traditions successives. (Règne : 13 ans et 6 mois.)

SABINIEN

13.9.604 - 22.2.606

✳ en Toscane ? - ✝ Rome 606

Il réussit à faire la paix avec les Lombards et cessa de verser l'annone (impôt versé pour l'alimentation de la population romaine). (Règne : 1 an et 5 mois.)

BONIFACE III

19.2.607 - 12.11.607

✳ Rome ? - ✝ Rome 607

Ne régna que neuf mois, mais il eut durant ce temps d'excellentes relations avec l'empereur byzantin Phocas qui reconnut la prééminence de Rome.

BONIFACE IV (SAINT)

25.8.608 - 8.5.615

✳ Valeria ? - ✝ Rome 615

Maintient l'alliance établie par son prédécesseur avec l'empereur byzantin Phocas et entre en contact avec l'Église d'Angleterre. (Règne : 6 ans et 8 mois.)

ADÉODAT Iᵉʳ (SAINT)

19.10.615 - 8.11.618

✳ Rome ? - ✝ Rome 618

Réattribue une certaine importance au clergé séculier auquel il impose la célébration quotidienne de la messe. (Règne : 3 ans et 3 semaines.)

BONIFACE V

23.12.619 - 25.10.625

✳ Naples ? - ✝ Rome 625

Bon administrateur de la cité romaine, il réserve aux religieux le transport des reliques et la responsabilité du droit d'asile. (Règne : 5 ans et 10 mois.)

HONORIUS Iᵉʳ

27.10.625 - 12.10.638

✳ en Campanie ? - ✝ Rome 638

Durant son règne les troupes byzantines commettent un nouveau sac de Rome. (Règne : 13 ans.)

Vacance du Saint-Siège

De la fin 638 à la mi 640, cette période de vacance de la fonction papale est due à l'attente de la confirmation de l'accord de l'empereur byzantin pour la consécration définitive de Séverin.

SÉVERIN

28.5.640 - 2.8.640

✳ ? - ✝ Rome 640

Élu en 638, il n'est consacré qu'en 640 et meurt deux mois plus tard.

JEAN IV
24.11.640 - 12.10.642
❋ en Dalmatie v. 580 - ✝ Rome 642

Durant son court pontificat d'un an et 10 mois, il condamne le monothéisme de Constantinople et assoit son autorité sur les rois francs et saxons.

THÉODORE Iᵉʳ
24.12.642 - 14.5.649
❋ en Grèce ? - ✝ Rome 649

Premier pape d'origine byzantine, il aggrava le clivage Rome-Constantinople. (Règne : 6 ans et 5 mois et demi.)

MARTIN Iᵉʳ (SAINT) M
5.8.649 - 16.6.653
❋ Todi v. 590 - ✝ Crimée, 655

Important à divers titres : dernier pape considéré comme martyr, il fut élu et consacré sans avoir attendu la confirmation impériale. Il condamne le monothéisme. Arrêté sur ordre de l'empereur, il est déposé et meurt en exil. (Règne : 3 ans et 10 mois.)

EUGÈNE Iᵉʳ (SAINT)
10.8.654 - 2.6.657
❋ Rome ? - ✝ Rome 657

Après une résistance d'un an, le clergé romain réussit à élire ce membre de l'aristocratie. Il repousse les tentatives de conciliation de Constantinople et assure son autorité sur l'Occident, en particulier sur l'Angleterre. (Règne : 2 ans et 9 mois et demi.)

VITALIEN (SAINT)
30.7.657 - 27.1.672
❋ en Campanie v. 600 - ✝ Rome 672

Pontificat de 14 ans et demi marqué par le sac « pacifique » de Rome par l'empereur byzantin Constance II en 663, et par le rétablissement de la confiance entre Rome et Constantinople.

ADÉODAT II
11.4.672 - 17.6.676
❋ Rome ? - ✝ Rome 676

Moine bénédictin, il refuse les lettres synodiques du patriarche de Constantinople. (Règne : 4 ans et 2 mois.)

DOMNUS OU DONUS
2.11.676 - 11.4.678
❋ Rome ? - ✝ Rome 678

Rétablit l'autorité de Rome sur l'exarchat de Ravenne et rejette les prétentions de Constantinople. (Règne : 1 an et 5 mois.)

AGATHON (SAINT)
27.6.678 - 10.1.681
❋ en Orient ? - ✝ Rome 681

Signataire des actes du concile de Constantinople condamnant les tenants du monothéisme (3ᵉ concile de Constantinople). (Règne : 2 ans et 6 mois et demi.)

LÉON II (SAINT)
17.8.682 - 3.7.683
❋ en Sicile ? - ✝ Rome 683

Il confirme les décisions d'Agathon. (Règne : 10 mois et demi.)

BENOÎT II (SAINT)
26.6.684 - 8.5.685
❋ Rome ? - ✝ Rome 685

Il améliore les relations avec l'empereur mais se heurte aux églises locales : épisode du concile de Tolède en 684. (Règne : 10 mois et demi.)

JEAN V
23.7.685 - 2.8.686
❋ Antioche ? - ✝ Rome 686

Il intervient auprès des évêques de Sardaigne. (Règne : 1 an et 10 jours.)

CONON
21.10.686 - 21.9.687
❋ ? - ✝ Rome 687

Candidat de compromis, il est destitué par les Romains pour ne pas avoir respecté une tradition qui voulait qu'un Romain occupe traditionnellement la fonction de recteur en Sicile. (Règne : 11 mois.)

THÉODORE

Antipape en 687, candidat de la milice de Rome.

PASCAL

Antipape en 687, candidat du clergé romain. Comme Théodore, il s'effaça très tôt.

SERGE (SAINT)
15.12.687 - 9.9.701
❋ Palerme ? - ✝ Rome 701

Ce long pontificat pour l'époque (13 ans et et 9 mois) commence dans un contexte fort mouvementé. Serge bénéficie du report du soutien des Romains partagés entre Théodore et Pascal. Signe de l'importance accrue des pouvoirs temporels attachés à la fonction papale, comme puissance locale, il est le premier pape à apposer ses initiales sur les monnaies byzantines. Il résiste aux menaces proférées par Justinien II (692) et affirme la primauté de Rome sur les nouvelles Églises (notamment en Frise).

JEAN VI
30.10.701 - 11.1.705
❋ en Grèce ? - ✝ Rome 705

Il triomphe de l'exarque de Ravenne, mais doit céder aux Lombards. Il devient le véritable souverain d'un domaine délimité : chef temporel. (Règne : 3 ans et 2 mois et demi.)

JEAN VII
1.3.705 - 18.10.707
❋ en Grèce ? - ✝ Rome 707

Entretient des relations très courtoises avec les Lombards et ne maintint pas l'attitude ferme que Serge Iᵉʳ avait adoptée face à l'empereur byzantin Justinien. (Règne : 2 ans et 7 mois et demi.)

SISINNIUS
23.1.708 - 4.2.708
❋ en Syrie ? - ✝ Rome 708

Élu pape alors qu'il était gravement malade, il décède treize jours après son élection.

CONSTANTIN Iᵉʳ
25.3.708 - 9.4.715
❋ en Syrie ? - ✝ Rome 715

Dernier pape à se considérer comme un sujet de l'empereur d'Orient. (Règne : 7 ans et 15 jours.)

GRÉGOIRE II (SAINT)

19.5.715 - 11.2.731
✵ Rome 669 - ✝ Rome 731

Long et important pontificat (15 ans et 8 mois), au cours duquel le pape s'oppose à l'empereur sur la question du culte des images (querelle iconoclaste) et envoie saint Boniface comme évêque afin d'évangéliser la Germanie. Ce dernier lui prête le serment de fidélité, habituellement prononcé par les suffragants romains. Le pape affirme ainsi sa volonté de contrôler les nouveaux territoires christianisés du nord de l'Europe.

GRÉGOIRE III (SAINT)

13.3.731 - 10.12.741
✵ en Syrie ? - ✝ Rome 741

Dernier pape à demander la confirmation de son élection à l'exarque de Ravenne. Il condamne les iconoclastes et s'oppose à l'empereur d'Orient Léon III. Il appelle alors à l'aide le roi franc. Fit du palais du Latran la résidence officielle. (Règne : 10 ans et 9 mois.)

ZACHARIE (SAINT)

10.12.741 - 22.3.752
✵ en Grèce ? - ✝ Rome 752

Dernier pape d'origine grecque, il s'allia aux Lombards qu'il aida militairement. Il soutint Pépin le Bref lorsque ce dernier s'empara de la couronne impériale. (Règne : 11 ans et 3 mois.)

ÉTIENNE (II)

Mort quatre jours après son élection en mars 752, et n'ayant pas été consacré, il ne peut être considéré comme pape. Il n'est toutefois pas un antipape car il a été régulièrement élu.

ÉTIENNE II

25.3.752 - 26.4.757
✵ Rome ? - ✝ Rome 757

Se déplaça en Francie occidentale pour consacrer roi des Francs Pépin le Bref en la basilique Saint-Denis (754). En 756, bloqué dans Rome par les Lombards, il appelle à l'aide Pépin le Bref qui envoie son armée en Italie et inflige une grave défaite aux troupes du roi lombard, Aristolf. (Règne : 5 ans et un mois.)

PAUL Ier (SAINT)

29.5.757 - 28.6.767
✵ Rome v. 700 - ✝ Rome 767

Frère du précédent, il s'appuie sur les Francs contre les Lombards de Didier. Véritable souverain temporel, il gouverna avec poigne, voire rigueur. (Règne : 10 ans et 1 mois.)

CONSTANTIN

Antipape du 28.6.767 au 6.8.768. Laïc, aidé par ses frères, il se fit élire pape en usant de la force. Renversé par le primicien Christophe soutenu par les Lombards.

PHILIPPE

Élu le 31.7.767, il démissionne le même jour.

ÉTIENNE III

1.8.768 - 3.2.772
✵ en Sicile v. 720 - ✝ Rome 772

Candidat du primicien Christophe, très pieux, il fit réserver l'élection du pape au seul clergé romain. (Règne : 3 ans et 6 mois.)

ADRIEN Ier

9.2.772 - 26.12.795
✵ Rome ? - ✝ Rome 795

Il s'allie à Charlemagne, qui lui confirme la possession des États pontificaux aux dépens des Lombards, dont il est un farouche adversaire. En 787, le Latium pontifical est constitué. Signe d'une puissance économique grandissante, il est le premier pape à faire frapper des pièces de monnaie à son effigie. (Règne : 23 ans et 11 mois.)

LÉON III (SAINT)

27.12.795 - 12.6.816
✵ Rome 750 - ✝ Rome 816

Reconnaît le protectorat de Charlemagne et le couronne empereur en 800. (Règne : 20 ans et 5 mois et demi.)

ÉTIENNE IV

22.6.816 - 24.1.817
✵ Rome v. 770 - ✝ Rome 817

Dans ce très court pontificat de 7 mois, le pape sacre Louis le Pieux à Reims en 816 et obtient la confirmation de l'indépendance des États pontificaux.

PASCAL Ier (SAINT)

25.1.817 - 17.5.824
✵ Rome ? - ✝ Rome 824

Ce pontificat de 7 ans et 4 mois est marqué par son caractère autocratique, bien qu'il régna avec le soutien de la plus grande partie du clergé. Sacre Lothaire Ier empereur d'Occident, en 823.

EUGÈNE II

11.5.824 - août 827
✵ Rome ? - ✝ Rome 827

Candidat des nobles romains, il fixe avec Lothaire un mode de gouvernement de Rome la *Constituo romana* (824). (Règne : 3 ans et 3 mois.)

VALENTIN

août-septembre 827
✵ Rome ? - ✝ Rome 827

D'origine aristocratique, il ne régna que 40 jours.

GRÉGOIRE IV

fin 827 - 25 janvier 844
✵ Rome ? - ✝ Rome 844

Grand bâtisseur, il dut assurer la protection de ses États contre les raids sarrazins dans la région du Latium. (Règne : 16 ans.)

JEAN

Antipape, élu fin janvier 844, vraisemblablement par le clergé du Latran, il ne put être imposé à la noblesse romaine.

SERGE II

fin janvier 844 - 27.1.847
✵ Rome 785/795 - ✝ Rome 847

Élu par la noblesse romaine, il échoue dans son rôle de protecteur de Rome face aux raids sarrazins dont un ravagea Rome. Couronne Louis roi d'Italie. (Règne : 3 ans.)

LÉON IV (SAINT)

10.4.847 - 17.7.855
✵ Rome ? - ✝ Rome 855

Fait établir une haute muraille autour de Rome pour la protéger des Sarrazins. Crée la cité Léonine, à Rome, en 852. (Règne : 8 ans et 3 mois.)

BENOÎT III

29.9.855 - 7.4.858
✳ Rome ? - ✝ Rome 858

Élu à la suite du refus du cardinal Hadrien de recevoir la tiare, il est immédiatement emprisonné par les *missi dominici* de l'empereur d'Occident, partisans d'un rival, Anastase. Mais ceux-ci ne purent obtenir la présence des trois évêques indispensables pour valider sa consécration. (Règne : 2 ans et 6 mois.)

ANASTASE

Antipape pendant deux jours du 21 au 23 septembre 855, il est surnommé le Bibliothécaire. Il mourra en 880, après avoir fait office de conseiller et de sage en de nombreuses occasions.

NICOLAS Iᵉʳ (LE GRAND) (SAINT)

24.4.858 - 13.11.867
✳ Rome v. 800 - ✝ Rome 867

Conseiller de son prédécesseur, il fut choisi par l'empereur germanique Louis II. Les divisions entre les rois francs l'érigent en arbitre. Il refusa d'annuler le mariage de Lothaire II et se plaça au-dessus des princes. Il renforça l'autonomie des évêques et secoua la tutelle impériale. (Règne : 9 ans et 6 mois et demi.)

ADRIEN II

14.12.867 - 14.12.872
✳ Rome v. 820 - ✝ Rome 872

Accueillit les évangélisateurs Cyrille et Méthode et approuva l'emploi de la liturgie en slavon. (Règne : 5 ans.)

JEAN VIII

fin décembre 872 - 15.12.882
✳ Rome v. 800 - ✝ Rome 882

Très bon administrateur, il est le dernier pape à accepter une liturgie non latine. Il choisit Charles le Chauve comme empereur. Il lutta efficacement contre les invasions sarrazines. Il meurt assassiné par un membre de son entourage. (Règne : 10 ans.)

MARIN Iᵉʳ

16.12.882 - 15.5.884
✳ prov. de Viterbe ? - ✝ Rome 884

Défendit avec énergie les États pontificaux contre les prétentions du duc de Spolète. (Règne : 1 an et 5 mois.)

ADRIEN III (SAINT)

17.5.884 - 8 ou 9.11.885
✳ Rome ? - ✝ Nonantola 885

Meurt en Italie alors qu'il se rendait en Germanie pour rendre visite à l'empereur d'Occident. (Règne : 1 an et demi.)

ÉTIENNE V

20.11.885 - 20.9.891
✳ Rome ? - ✝ Rome 891

Interdit la liturgie en slavon, ce qui détacha définitivement les régions slaves de Rome au profit de Constantinople. (Règne : 5 ans et 10 mois.)

FORMOSE

6.10.891 - 4.4.896
✳ Rome 816 - ✝ Rome 896

Célèbre pour les événements qui survinrent autour de son cadavre, lequel fut exhumé, jugé puis condamné par les Spolétains. (Règne : 4 ans 6 mois.)

BONIFACE VI

mi-avril - mai 896
✳ Rome ? - ✝ Rome 896

Ne régna que quelques jours et, depuis 1751, ne fait plus partie de la liste officielle des papes (brièveté et caractère trouble du règne).

ÉTIENNE VI

mai 896 - août 897
✳ Rome ? - ✝ Rome 897

Fait prisonnier, déchu, il est mort étranglé après 1 an et 3 mois de pontificat.

ROMAIN

août - fin novembre 897
✳ Gallese v. 800 - ✝ Rome 897

Détrôné au bout de trois mois par les partisans de l'ancien pape Formose.

THÉODORE II

décembre 897 - janvier 898
✳ Rome ? - ✝ Rome 898

Réhabilita Formose mais semble avoir été assassiné après seulement vingt jours de pontificat.

JEAN IX

janvier 898 - janvier 900
✳ Tivoli 840 - ✝ Rome 900

Condamne les profanateurs de la dépouille mortelle de Formose. (Règne : 2 ans.)

BENOÎT IV

janvier 900 - fin juillet 903
✳ Rome ? - ✝ Rome 903

Couronne empereur Louis l'Aveugle. (Règne : 3 ans et 6 mois.)

LÉON V

juillet - septembre 903
✳ Ardea ? - ✝ Rome 905

Ne régna véritablement qu'un mois. Après avoir été renversé par Christophe, il meurt en prison. Une légende non attestée voudrait qu'il soit d'origine bretonne.

CHRISTOPHE

Antipape de septembre 903 à janvier 904, déposé par Serge III, il ne règne véritablement que quelques semaines. Il meurt, plus tard, en prison.

SERGE III

29.1.904 - septembre 911
✳ Rome ? - ✝ Rome 911

Élu pour la première fois en 897, il a été excommunié en 898. Se considérant toujours pape, il s'impose enfin en 904. Il renouvelle les condamnations envers Formose. Aurait eu de la fille de Théodoric, Marousie, un fils qui deviendra pape à son tour sous le nom de Jean XI, en 931. Il marque le début de la période dite de la pornocratie. (Règne : 7 ans et 9 mois.)

ANASTASE III

septembre 911 - octobre 913
✳ Rome ? - ✝ Rome 913

Durant ses deux ans de pontificat, il ne put régler le problème des relations entre Rome et Constantinople.

LANDON

novembre 913 - fin mars 914
✳ Sabine ? - ✝ Rome 914

L'autorité du pape s'avère trop faible face au camérier Théophytecte. (Règne : 5 mois et demi.)

JEAN X

avril 914 - mai 928
✳ Imola, 860 - ✝ Rome 929

S'employa avec énergie à la lutte contre les Sarrazins. Déposé sur ordre de Marousie, il est assassiné quelque temps plus tard. (Règne : 14 ans et 2 mois.)

LÉON VI

mi-juin 928 - janvier 929
✳ Rome ? - ✝ Rome 929

Imposé par la sénatrice Marousie, il ne règne que sept mois. Il intervient sur la structure des nouveaux évêchés de Croatie.

ÉTIENNE VII

mi-janvier 929 - février 931
✳ Rome ? - ✝ Rome 931

Les témoignages sur son règne (2 ans et 1 mois) sont quasi inexistants.

JEAN XI

mars 931 - janvier 936
✳ Rome 906 - ✝ Rome 936

Serait le fils de Marousie et de Serge III. Incarcéré en 932, il ne put exercer pleinement ses pouvoirs. (Règne : 4 ans et 8 mois.)

LÉON VII

3.1.936 - 13.7.939
✳ Rome ? - ✝ Rome 939

Imposé par Albéric II, marquis de Spolète, maître de Rome, son pontificat témoigne de la renaissance monastique. Il est le premier pape à conseiller l'expulsion des juifs qui refusent de se convertir. (Règne : 3 ans et demi.)

ÉTIENNE VIII

14.7.939 - octobre 942
✳ Rome ? - ✝ Rome 942

Cardinal imposé par Albéric II, maître de Rome. (Règne : 3 ans et 3 mois.)

MARIN II

30.10.942 - mai 946
✳ Rome ? - ✝ Rome 946

Une nouvelle fois, un pape est imposé par Albéric II. Il confirma la dignité de vicaire apostolique à l'archevêque de Mayence. (Règne : 3 ans et demi.)

AGAPET II

10.5.946 - décembre 955
✳ Rome ? - ✝ Rome 955

Également imposé par Albéric II, il intervint par légat interposé durant un synode allemand ; il excommunia le roi de France Hugues Capet. Il accepta que le roi de Germanie désigne les évêques et se laissa imposer de son vivant l'élection du fils d'Albéric à la dignité papale. (Règne : 9 ans et 7 mois.)

JEAN XII

Octavien, comte de Tusculum
16.12.955 - 4.12.963
✳ Rome 937 - ✝ Rome 964

Inaugure la coutume médiévale de prendre un nouveau nom. Fils d'Albéric II, il couronne, en 962, Otton Ier empereur du Saint Empire romain germanique, pour contrer les visées du roi d'Italie, Bérenger II. Déposé sur ordre d'Otton après avoir tenté un renversement d'alliances. (Règne : 8 ans.)

LÉON VIII

6.12.963 - 1.3.965
✳ Rome ? - ✝ Rome 965

Se fait élire sur ordre d'Otton, présent à Rome. Il fait du consentement de l'empereur d'Occident le préalable à toute élection papale. Après le départ d'Otton, il est renversé par Jean XII. Maintenu par Otton à la mort de Jean XII contre le vœu des Romains qui ont pour leur part choisi Benoît V. Réintégré en juin 964 à son poste jusqu'à sa mort. (Règne : 15 mois.)

BENOÎT V

Selon les vaticanologues, si Léon VIII est légitime, Benoît V est un antipape. D'origine romaine, il fut élu par la noblesse le 22 mai 964, il fut chassé de Rome par la force des armes et banni en juin 964. Il mourut à Hambourg en 966.

JEAN XIII

1.10.965 - 6.9.972
✳ Rome ? - ✝ Rome 972

Après des débuts difficiles (révolte), il régna en bonne intelligence avec Otton Ier. Sacre Otton II et récupère l'exarchat de Ravenne. (Règne : 6 ans et 11 mois.)

BENOÎT VI

19.1.973 - juillet 974
✳ Rome ? - ✝ Rome 974

Renversé après 17 mois de pontificat par une révolte fomentée par un clan romain. Arrêté, il est étranglé sur l'ordre de l'antipape Boniface VII.

BONIFACE VII

Après avoir fait assassiner Benoît VI, il doit s'enfuir. Remplacé à Rome par Benoît VII en juillet 974, il réussira dix ans plus tard à reprendre Rome (d'août 984 à juillet 985).

BENOÎT VII

octobre 974 - 10.7.983
✳ Rome ? - ✝ Rome 983

Pontife paisible, il s'allie à Otton II afin d'affaiblir les positions byzantines au sud de l'Italie. (Règne : 8 ans et 9 mois.)

JEAN XIV

Pietro Canepanova
septembre 983 - 20.8.984
✳ Pavie ? - ✝ Rome 984

Choisi par Otton II, évêque de Pavie, il fut renversé par Boniface VII et mourut au château Saint-Ange. (Règne : 10 mois.)

JEAN XV

août 985 - mars 996
✳ Rome ? - ✝ Rome 996

Élu par l'aristocratie romaine, il procède à la première canonisation (993), celle de l'évêque Ulrich d'Augsbourg, allié des ottoniens. (Règne : 10 ans et 8 mois.)

GRÉGOIRE V

Brunon von Kürnten
3.5.996 - 18.2.999
✳ en Saxe ? - ✝ Rome 999

Premier pape non romain, il couronne son cousin Otton III. Il est chassé par une émeute. (Règne : 2 ans et 9 mois et demi.)

JEAN XVI

Antipape établi sur le trône de saint Pierre par les autorités romaines (prince de Rome et noblesse) en février 997 ; il est excommunié par Grégoire V en février 998.

SYLVESTRE II

Gerbert d'Aurillac
2.4.999 - 12.5.1003
✳ Auvergne v. 938 - ✝ Rome 1003

Premier pape sujet du roi de France, grand érudit, archevêque de Reims, conducteur spirituel de l'empereur Otton III, il reçut la tiare des mains de ce dernier. Il encouragea la constitution d'une Église en Pologne. (Règne : 4 ans et 1 mois.)

JEAN XVII

Jean Sicco
juin - 6 novembre 1003
✳ Rome ? - ✝ Rome 1003

Imposé par l'aristocratie romaine, il ne régna que six mois.

JEAN XVIII

Jean Fasanus
25.12.1003 - janvier 1009
✳ Rome ? - ✝ Rome 1009

Élu avec le soutien du patrice de Rome, il intervint dans les affaires ecclésiastiques françaises, canonisa les évangélisateurs des Polonais assassinés en 1003. Fut déposé par le patrice Jean II Crescentius mécontent de ses liens avec l'empereur d'Allemagne. Mourut en état de moine quelques semaines après son éviction. (Règne : 5 ans.)

SERGE IV

Pietro Os porci
31.7.1009 - 12.5.1012
✳ Rome ? - ✝ Rome 1012

Évêque d'Albano, il noua des relations étroites avec l'empereur d'Allemagne Henri II qu'il invita à se faire couronner à Rome mais il mourut avant de connaître la décision de ce dernier. (Règne : 2 ans et 9 mois et demi.)

BENOÎT VIII

Théophylacte de Tusculum
21.5.1012 - 9.4.1024
✳ ? - ✝ Rome 1024

Noble de la famille des Tusculum, élu le 17 mai par ses parents et confirmé par l'empereur, il se débarrasse de son rival. Il couronne Henri II empereur. Après ses victoires sur les Sarrazins, il tente de chasser les Byzantins d'Italie du Sud. Il réglemente l'activité des prêtres et condamne la simonie. Pontife réformateur, il chercha à garantir l'autonomie du pape face aux grandes familles romaines. (Règne : 11 ans et 10 mois.)

GRÉGOIRE (VI)

Antipape élu par la famille influente des Crescentii après que les Tusculum aient élu Benoît VIII. Se rendit auprès de l'empereur pour se faire confirmer, mais celui-ci le retint auprès de lui jusqu'en avril 1013, date à laquelle une diète de princes allemands statua en sa défaveur.

JEAN XIX

Romain de Tusculum
19.4.1024 - 20.10.1032
✳ ? - ✝ Rome 1032

Frère de Benoît VIII, poursuivit la politique de coopération avec le nouvel empereur Conrad II qu'il couronne en 1027. Se plia aux volontés de ce dernier. Il se fit le défenseur de Cluny et tenta de s'entendre avec l'empereur byzantin. (Règne : 8 ans et demi.)

BENOÎT IX

Théophylacte de Tusculum
1032 - 1044
✳ ? - ✝ Rome v. 1055

Neveu du précédent, il fut imposé par son père Albéric III. Pontife plus ferme que Jean XIX vis-à-vis de l'empereur, il fut chassé en septembre 1044 par une révolte fomentée par une partie de la noblesse romaine qui élit à sa place Giovanni, évêque de Sabine, sous le nom de Sylvestre III. (Règne : 12 ans.)

SYLVESTRE III

Giovanni
20.1.1045 - 10.2.1045
✳ Rome ? - ✝ Rome après 1046

Déposé par le concile de Sutri trois semaines après sa consécration.

BENOÎT IX

10.4.1045 - 1.5.1045

Après avoir défait les troupes de Silvestre III, il reste environ trois semaines sur le trône avant d'abdiquer et de se retirer dans un monastère.

GRÉGOIRE VI

Giovanni Graziano
5.5.1045 - 20.12.1046
✳ Rome ? - ✝ en Rhénanie 1048

Déposé au bout de 7 mois et demi.

CLÉMENT II

Suidger de Morsleben et Hornburg
24.12.1046 - 9.10.1047
✳ ? - ✝ Pesaro 1047

Noble allemand, imposé par l'empereur. (Règne : 9 mois et demi.)

BENOÎT IX

8.11.1047 - 17.7.1048

Troisième période de pontificat pour Benoît IX qui durera cette fois 8 mois et 1 semaine. La famille de Tusculum le rétablit sur le trône de saint Pierre auquel l'empereur oppose Poppo de Brixen provoquant une nouvelle fois la fuite de Benoît IX. Les Tusculum cherchèrent à l'imposer une quatrième fois mais sans succès.

DAMASE II

Poppo de Brixen
17.7.1048 - 9.8.1048
✳ au Tyrol ? - ✝ Palestrina 1048

Nommé par l'empereur Henri III, il mourut au bout de seulement 22 jours de règne.

LÉON IX (SAINT)

Bruno d'Egisheim
12.2.1049 - 9.4.1054
✳ en Alsace 1002 - ✝ Rome 1054

Nommé à Worms par l'empereur, en décembre 1048, il se démarque vite de son bienfaiteur au cours de son pontificat long de 5 ans et 2 mois. Il mit en pratique les principes de réforme, exigea leur application en multipliant la tenue de synodes, condamna la simonie. Il soutint également le mouvement monastique qui continuait à se développer dans toute l'Europe. Il fut le dernier pape à procéder à des translations de reliques. Il réorganisa la curie et accrut le rôle des cardinaux. En tant que seigneur ayant une puissance temporelle, il subit un échec militaire face aux Normands qu'il ne réussit pas à déloger d'Italie du Sud.

VICTOR II

Gebhard Dollnstein-Hirschberg
13.4.1055 - 28.7.1057
✳ en Allemagne ? - ✝ Arezzo 1057

Quatrième et dernier pape choisi par l'empereur germanique, il s'intéressa plus à l'Allemagne qu'à l'Italie. Nommé en septembre 1054, il mit six mois pour accepter sa nomination. (Règne : 2 ans et 3 mois et demi).

ÉTIENNE IX (X)

Frédéric d'Ardenne
3.8.1057 - 29.3.1058
✳ ? - ✝ Florence 1058

Durant ses 8 mois de règne, il poursuivit l'activité de Léon IX. Dès qu'il sentit la mort venir, il exigea que l'élection de son successeur ne se fasse seulement qu'au retour de son conseiller Hildebrand.

BENOÎT X

De son vrai nom Jean Mincius, cet antipape poussé par la noblesse romaine, ne respecta pas le vœu de son prédécesseur. Les cardinaux refusèrent de l'introniser. Il occupa le trône du 5 avril 1058 au 24 janvier 1059, date à laquelle le pape élu par les partisans de Hildebrand entra dans Rome.

NICOLAS II

Gérard
24.1.1059 - 27.7.1061
✳ Chevron, Savoie v. 980 - ✝ Florence 1061

Élu en Toscane par les réformateurs, son pontificat est célèbre pour l'adoption d'un décret de 1059 sur l'élection du pape. Celui-ci doit être élu en premier lieu par les cardinaux-évêques secondés par les cardinaux-clercs, puis par le reste du clergé et du peuple romains. En Italie, il reconnaît aux Normands leurs possessions. (Règne : 2 ans et demi.)

ALEXANDRE II

Anselme de Baggio
1.10.1061 - 21.4.1073
✳ Milan v. 1010/1015 - ✝ Rome 1073

Premier Milanais à être élu pape. Évêque de Lucques, partisan des réformes (propagation de la *vita communis*, culte des saints). Ne put être intronisé à Saint-Pierre mais en l'église de Saint-Pierre-aux-Liens. La noblesse romaine lui oppose Honorius II le 28 octobre. Reconnu pape au concile de Mantoue en 1064. Fut le premier pape à concéder des indulgences aux croisés (1063). Attribua également le drapeau de Saint-Pierre à certains chefs de guerre. Son pontificat fut marqué par l'importance prise par l'évêque Hildebrand. (Règne : 11 ans et 6 mois et demi.)

HONORIUS (II)

Antipape, Cadalus de Parme, favori de l'aristocratie romaine, fut choisi par l'empereur germanique le 28 octobre 1061. Mais il ne put entrer dans Rome. Déposé au concile de Mantoue, en 1064, il fut excommunié et vécut à Parme jusqu'à sa mort en 1071-1072.

GRÉGOIRE VII

Hildebrand
22.4.1073 - 25.5.1085
✳ Sovana (Toscane) v. 1020 - ✝ Salerne 1085

Le plus grand pape réformateur de la papauté au Moyen Âge. Conseiller de plusieurs papes et plus particulièrement d'Alexandre II, il est élu à l'unanimité. Il donne plusieurs buts à la réforme dite grégorienne : rétablir l'indépendance des évêques face aux laïcs, imposer les règles chrétiennes à la société, centraliser les responsabilités autour du pape. Cette politique est à l'origine de la querelle des Investitures opposant le pape à l'empereur. En 1075, Grégoire VII interdit l'investiture laïque des évêques, l'empereur Henri IV passant outre, il l'excommunie. Henri IV se rend alors à Canossa pour obtenir son pardon (1077). Il affronte l'antipape que l'empereur lui oppose en 1080. Fait prisonnier par son rival, Grégoire est libéré par le Normand Robert Guiscard, mais meurt épuisé. (Règne : 12 ans et 1 mois.)

CLÉMENT (III)

Désigné le 25 juin 1080 par l'empereur Henri IV pour contrer Grégoire VII, ce membre de la haute administration impériale est aussi évêque de Ravenne. Réformateur proche de l'empereur, il couronne ce dernier à Rome en 1084 alors que son rival est prisonnier au château Saint-Ange. À la mort de Grégoire VII, l'élection de Victor III en 1087 rend la situation confuse. Les deux pontifes se disputent la ville. De Ra-venne, son fief, il se considère comme pape jusqu'à sa mort en 1100.

VICTOR III (BIENHEUREUX)

Desiderio da Montecassino
24.5.1086 - 16.9.1087
✳ Bénévent v. 1027 - ✝ Mont Cassin 1087

Ce moine d'origine noble, abbé de Mont Cassin depuis 1059, prend position pour Grégoire VII contre l'antipape Clément. Élu pape en mai 1086, il attend plus d'un an pour accepter la charge, le temps que les Normands arrivent à faire contre-poids à l'omnipotence impériale dans la péninsule. Au bout d'un court règne interrompu par la maladie (16 mois en tout, mais 131 jours seulement depuis sa consécration), il désigne pour le succéder le cardinal Eudes, évêque d'Ostie.

URBAIN II (BIENHEUREUX)

Eudes de Châtillon ou de Lagery
12.3.1088 - 29.7.1099
✳ en Champagne, v. 1035 ? - ✝ Rome 1099

Fils de noble champenois, grand prieur de Cluny de 1074 à 1079, il devient évêque d'Ostie vers 1082. Consacré à Terracina en 1088, il adopte les principes de la réforme grégorienne. Il développa les principes en vigueur dans le royaume de France pour pacifier la société : la trêve de Dieu est confirmée lors de trois synodes. Il ne supplanta l'antipape Clément (III) qu'en 1093 et favorisa le monachisme bénédictin. Il se heurta au roi de France qu'il excommunia en 1095. La même année au concile de Clermont, il proclame la première croisade, mais mourra en juillet 1099 sans avoir pris connaissance de la prise de Jérusalem qui eut lieu quinze jours plus tôt. (Règne : 11 ans et 4 mois.)

PASCAL II

Rainero
13.8.1099 - 21.1.1118
✳ près de Ravenne v. 1050 - ✝ Rome 1118

D'origine modeste, ce moine bénédictin fit sa carrière ecclésiastique dans le sillage d'Urbain II. Il chassa définitivement, grâce aux Normands, l'antipape Clément (III) qui mourut en 1100. Poursuivant la politique grégorienne, il excommunia l'empereur Henri IV qui multiplia les antipapes tels que Thierry, Albert, Silvestre IV, avant de céder en 1105. Le nouvel empereur, dont il crut s'être fait un allié refusa de se plier à la discipline pontificale. Un problème similaire se posa en Angleterre, mais fut résolu par un compromis. De même en France, avec laquelle il contracta une alliance avec le Capétien Louis VI, en 1107. En 1111, l'affrontement entre le pape et l'empereur atteint son apogée. L'empereur fait prisonnier le pape qui est contraint de céder pour éviter la proclamation d'un nouvel antipape, Silvestre IV, agent de l'empereur Henri V. Il rétracta, en 1116, le privilège accordé en 1111. La fin de son règne fut marquée par les luttes partisanes qui touchaient la ville. (Règne : 18 ans et 5 mois.)

THIERRY

Choisi en septembre 1100 par les partisans de Clément (III), il chercha à obtenir l'agrément de l'empereur Henri V mais fut arrêté en janvier 1101 par les hommes de Pascal II. Incarcéré, il mourut en 1102.

ALBERT

Élu en février 1101 par les partisans de Thierry, il est livré à Pascal II qui le relègue dans un monastère jusqu'à sa mort qui est advenue à une date inconnue.

SILVESTRE IV

Antipape nommé en novembre 1105 par l'aristocratie romaine (les Varuncii), qui reprochait à Pascal II de pratiquer la simonie et d'être hérétique, il fut chassé par Henri V. Lâché par ses soutiens à la fin du mois, il est relégué à Osimo, où en 1111, Henri V se sert de lui pour déstabiliser Pascal II. En avril, il se démet définitivement.

GÉLASE II

Jean de Gaète
24.1.1118 - 28.1.1119
✳ ? - ✝ Cluny 1119

Collaborateur de Pascal II. Dès son élection, il est fait prisonnier puis libéré par un soulèvement populaire. Mais il se vit opposer par l'empereur un antipape. En réponse Gélase II excommunie son rival ainsi que l'empereur. Ne pouvant rester à Rome, il s'enfuit en France où il mourut. (Règne : 1 an.)

GRÉGOIRE (VIII)

D'origine bourguignonne, il fut consacré le 8 mars 1118 par l'empereur Henri V. Excommunié par Gélase II en avril, il se maintint jusqu'au 23 avril 1121, date à laquelle, vaincu par Calixte II, il fut promené à Rome à dos de chameau avant d'être interné. Il mourut en 1137.

CALIXTE II

Guy de Bourgogne
2.11.1119 - 13.12.1124
✳ v. 1060 - ✝ 1124

Archevêque de Vienne au moment de sa désignation, ce Comtois est indépendant des clans romains et du conflit pape-empereur. Il se débarrasse de l'antipape Grégoire (VII) (1121). Il signe le concordat de Worms qui met fin à la querelle des Investitures (1122) et réunit le premier concile œcuménique de Latran (1123). (Règne : 5 ans et 5 semaines.)

HONORIUS II

Lamberto Scannabecchi da Fiagnano
21.12.1124 - 13.2.1130
✳ Fiagnano ? - ✝ Rome 1130

Proche de Calixte II, il est proclamé pape par un clan romain, les Frangipani, alliés au chancelier papal Aimeric, avec usage de la violence, mécontents du choix de Célestin (II). Il renoua avec l'Angleterre ; excommunia l'archevêque de Milan qui avait couronné empereur Conrad au lieu de soutenir son rival Lothaire de Saxe, élu en 1125. Son décès introduisit une nouvelle période de troubles dans l'Église. (Règne : 5 ans et 5 semaines.)

CÉLESTIN (II)

Très âgé, soutenu par le clan des Pierleoni, il est élu en décembre 1124, mais ne reste que dix jours avant de s'effacer devant Honorius II. Élu de manière canonique, il ne devrait pourtant pas faire partie des antipapes.

INNOCENT II

Gregorio Papareschi
14.2.1130 - 24.9.1143
✳ Rome ? - ✝ Rome 1143

Élu par une minorité de cardinaux proche des Pierleoni, il s'est vu contesté par Anaclet II (1130-1138) puis Victor IV (1138). Dans un premier temps, il est incapable de se maintenir à Rome, aux mains de son rival. Soutenu par la France (Suger) et l'Angleterre, puis par l'Empire, il réussit à reprendre Rome et à la mort d'Anaclet à obtenir la démission de Victor IV. Il convoque le concile œcuménique du Latran II. Il a présidé à un profond aménagement du droit canon. (Règne : 13 ans et 7 mois.)

ANACLET II

Cardinal, membre de la famille Pierleoni, il réussit à chasser Innocent II de la ville. Soutenu par les Romains, par le roi normand Roger de Sicile auquel il conféra le titre royal et par le clergé aquitain, il put se maintenir jusqu'à sa mort, le 25 janvier 1138.

VICTOR IV

Élu à la mi-mars 1138 pour succéder à Anaclet II, uniquement soutenu par le roi de Sicile, il abdiqua. Innocent II le déposa de toutes ses pouvoirs au concile du Latran II, en 1139.

CÉLESTIN II

Guido di Città di Castello
29.9.1143 - 8.3.1144
✳ en Ombrie ? - ✝ Rome 1144

Élu pour ses capacités de diplomate indispensables pour conjurer la menace que faisaient peser les Romains sur la Curie. Il intervint au profit de l'impératrice Mathilde dans les affaires de succession d'Angleterre et se réconcilia avec le roi de France, Louis VII. Il entra en contact avec les plus grandes figures monastiques de son temps, telles Pierre le Vénérable, l'abbé de Cluny et Bernard de Clairvaux. (Règne : 5 mois et 1 semaine.)

LUCIUS II

Gerardo Caccianemici
12.3.1144 - 15.2.1145
✳ Bologne ? - ✝ Rome 1145

Partisan d'Innocent II, il poursuivit, durant son court règne de 11 mois, la politique de Célestin II sur la question anglaise, reconnut la vassalité du Portugal au Saint-Siège et fut contraint de négocier une trêve de 7 ans avec les Normands de Sicile. Il dut affronter la révolte de nombreux Romains qui voulaient ôter à la papauté ses privilèges sur la ville.

EUGÈNE III (BIENHEUREUX)

Bernardo Paganelli di Montemagno
15.2.1145 - 8.7.1153
✳ Pise ? - ✝ Tivoli 1153

Premier cistercien à être élu à un moment où pape et sénat romain s'opposent. Il lança dès son élection l'idée d'une deuxième croisade. Ses légats organisèrent les Églises d'Irlande, de Suède et de Norvège (1152). Il subit la contestation d'Arnaud de Brescia, relayée par les Romains. Il signa un traité d'alliance avec Frédéric Barberousse à Constance. Il eut un grand renom dans la postérité. (Règne : 8 ans, 4 mois et 3 semaines.)

ANASTASE IV

Corrado di Suburri
12.7.1153 - 3.12.1154
✳ Rome v. 1070/1075 - ✝ Rome 1154

Il restaura l'ordre public à Rome. (Règne : 1 an et 5 mois.)

ADRIEN IV

Nicolas Breakspear
4.12.1154 - 1.9.1159
✳ Hertfordshire v. 1110 - ✝ Agnani 1159

Unique pape anglais ; il confirma le traité de Constance mais ne put éviter le déclenchement de la querelle du Sacerdoce et de l'Empire, avec Frédéric Barberousse. Il entra en conflit ouvert avec l'empereur juste avant sa mort. (Règne : 4 ans et 10 mois.)

ALEXANDRE III

Rolando Bandinelli
7.9.1159 - 30.8.1181
✳ Sienne v. 1105 ✝ Civita Castellana 1181

Chancelier de la Curie, de grande stature intellectuelle, il poursuivit la politique de son prédécesseur. Hostile aux velléités hégémoniques de Frédéric Barberousse, il dut affronter quatre antipapes successifs désignés par l'empereur de 1159 à 1180 : Victor IV (V), Pascal III, Calixte (III) et Innocent (III). Il dut intervenir également dans le conflit opposant le roi d'Angleterre et Thomas Becket, archevêque de Canterbury à propos des constitutions de Clarendon (1164) qui menaçaient les libertés de l'Église. (Règne : 21 ans et 11 mois.)

VICTOR IV (V), 1159 - 1164

PASCAL III, 1164 - 1168

CALIXTE (III), 1168 - 1178

INNOCENT (III), 1179 - 1180

Ces quatre antipapes n'ont été reconnus que par l'empereur Frédéric Barberousse et quelques membres du clergé de l'Italie du Nord durant le long pontificat d'Alexandre III. Les deux derniers abdiquèrent, symbolisant ainsi la victoire définitive du Sacerdoce, c'est-à-dire la papauté, sur l'Empire.

LUCIUS III

Ubaldo Allucingoli
1.9.1181 - 29.5.1185
✳ Lucques ? - ✝ Vérone 1185

Conseiller d'Alexandre III, partisan de la règle de saint Benoît, il favorisa les ordres monastiques ; rigoureux, il s'appuya sur Frédéric Barberousse pour rétablir son pouvoir sur Rome. Il fit établir le *Liber ecclesiae romanae censualis*, premier recueil des droits et des redevances dues à l'Église romaine. (Règne : 3 ans et 9 mois.)

URBAIN III

Umberto Crivelli
25.11.1185 - 20.10.1187
✳ Lucques ? - ✝ Vérone 1187

Cardinal de Milan, il adopta une attitude très ferme vis-à-vis de l'empereur Henri VI qu'il refusa de couronner, mais ne put asseoir son autorité. (Règne : 1 an et 11 mois.)

GRÉGOIRE VIII

Alberto di Morra Benevento
25.10.1187 - 17.12.1187
✳ Bénévent ? - ✝ Pise 1187

Homme de conciliation, il n'eut pas le temps de concrétiser ses projets lors de son court règne de moins de 2 mois.

CLÉMENT III

Paolo Scolari
19.12.1187 - fin mars 1191
✳ Rome ? - ✝ Rome 1191

Signe avec le sénat romain un accord qui fonde les relations entre la Curie et la commune de Rome (*concordia pacis* du 31 mai 1188). Il prépara l'organisation politique de la troisième croisade. (Règne : 3 ans et 3 mois.)

CÉLESTIN III

Giacinto di Pietro di Bobone
30.3.1191 - 8.1.1198
✳ Rome v. 1105-1106 - ✝ Rome 1198

Doyen du Sacré Collège et cardinal-légat, il centralise les structures gouvernementales de la papauté et initie la législation par décrétales. Il s'oppose à l'empereur Henri VI à propos de la succession du royaume de Sicile. (Règne : 6 ans et 9 mois et demi.)

INNOCENT III

Lotario dei Conti di Segni
8.1.1198 - 16.7.1216
✳ Anagni 1160 - ✝ Pérouse 1216

Issu d'une famille de grande noblesse, doté d'une forte personnalité, il fut le plus grand pape du Moyen Âge. Élu très jeune (à l'âge de 37 ans), il affirme le droit du pape d'exercer tous les pouvoirs sur les Églises et les ecclésiastiques, notamment la nomination et le prélèvement de taxes (décimes). Il fut le premier à se faire dénommer «vicaire du Christ» et non plus seulement successeur de Pierre. Il intervint dans la succession de l'empereur Henri VI (1197) : il couronna le Welf Otton en 1209. Il se heurta à tous les grands monarques sur les nominations d'évêques et les divorces royaux. Il organisa dès 1199 la 4ᵉ croisade de 1204, la croisade contre les albigeois (1209), puis la 5ᵉ croisade. Il soutint le projet de François d'Assise. Il réorganisa les différents services de la Curie et écrivit plusieurs textes théologiques. (Règne : 18 ans et 6 mois.)

HONORIUS III

Cencio Savelli
24.7.1216 - 18.3.1227
✳ Rome v. 1160 - ✝ Rome 1227

Il connut de grandes difficultés pour organiser la 5ᵉ croisade. Il reconnut l'ordre des dominicains (1216), puis celui des Carmes (1226). Il édicta la constitution *Super speculum* consacrée aux études de théologie à l'université de Paris. (Règne : 10 ans et 8 mois.)

GRÉGOIRE IX

Ugolino dei Conti di Segni
19.3.1227 - 22.8.1241
✳ Anagni v. 1170 - ✝ Rome 1241

De noblesse romaine et de haute valeur intellectuelle, il étudia à Paris. Il se heurta à l'empereur Frédéric II qui tergiversait dans sa décision de partir en croisade, puis sur les questions italiennes (excommunication et guerres). (Règne : 14 ans et 5 mois.)

CÉLESTIN IV

Goffredo da Castiglioni
25.10.1241 - 10.11.1241
✳ Milan ? - ✝ Anagni 1241

Mort avant d'être consacré. (Règne : 16 jours.)

Vacance du Saint-Siège

INNOCENT IV

Sinibaldo Fieschi
25.6.1243 - 7.12.1254
✳ Gênes v. 1190 - ✝ Naples 1254

Chancelier de la Curie, il est élu à la suite d'un compromis avec l'empereur Frédéric II. Mais il doit vite quitter Rome pour Lyon, ville d'Empire. Il y convoque le Iᵉʳ concile de Lyon (1245). Après avoir excommunié Frédéric II, il met au point un texte fondamental justifiant la théocratie pontificale : *l'Eger cui lenia*. Il introduisit la tradition du chapeau rouge pour les cardinaux et inaugura des relations avec l'Asie.(Règne : 11 ans et 5 mois et demi.)

ALEXANDRE IV

Rinaldo da Jenne
12.12.1245 - 25.5.1261
✳ Jenne v. 1185 - ✝ Viterbe 1261

L'autorité pontificale temporelle perdit beaucoup durant ce règne de 5 ans et 5 mois et demi : il fut vaincu par le régent impérial Manfred. Il protégea les ordres mendiants : franciscains et dominicains.

URBAIN IV

Jacques de Troyes
29.8.1261 - 2.10.1264
✳ Troyes v. 1200 - ✝ Pérouse 1264

D'origine modeste, il n'était pas cardinal à son élection. Il généralisa la dévotion au saint-sacrement et ne put jamais résider à Rome, déchirée entre les tenants du parti populaire et du parti noble. (Règne : 3 ans et 1 mois.)

CLÉMENT IV (SAINT)

Gui Foucois
5.2.1265 - 29.11.1268
✳ Saint-Gilles v. 1200 - ✝ Viterbe 1268

Il régla la succession du royaume de Sicile au profit de Charles Iᵉʳ d'Anjou et tenta de réconcilier les rois chrétiens pour relancer les croisades. (Règne : 3 ans et 10 mois.)

(vacance du Saint-Siège)

La plus longue vacance papale du 29 novembre 1268 au 1ᵉʳ septembre 1271.

GRÉGOIRE X (BIENHEUREUX)

Tebaldo Visconti
1.9.1271 - 10.1.1276
✳ Plaisance 1210 - ✝ Arezzo 1276

Il organise le IIᵉ concile de Lyon (1274) dans le but de relancer l'idée de croisade et de réformer l'Église : il influence les ordres mendiants et réussit la réunification provisoire des Églises romaine et grecque. Il rétablit également l'autorité papale en Italie. (Règne : 4 ans et 4 mois.)

INNOCENT V (BIENHEUREUX)

Pierre de Tarentaise
21.1.1276 - 22.6.1276
✳ en Tarentaise v. 1224 - ✝ Rome 1276

Premier dominicain à être pape, il veut poursuivre l'œuvre de son prédécesseur, mais son court règne de 5 mois ne lui en laisse pas le temps. Il pacifie toutefois l'Italie du Nord.

ADRIEN V

Ottobono Fieschi
11.7.1276 - 18.8.1276
✳ Gênes ? - ✝ Viterbe 1276

Neveu d'Innocent IV, partisan de Charles d'Anjou, il ne règne que 5 semaines et meurt avant d'être couronné

JEAN XXI

Pedro Julião
8.9.1276 - 20.5.1277
✳ Lisbonne v. 1220 - ✝ Viterbe 1277

Ce pape philosophe est un des principaux scholastiques du Moyen Âge. Certains historiens ont supposé, à tort, qu'un Jean XX aurait régné au XIᵉ siècle. (Règne : 8 mois et 3 semaines.)

NICOLAS III

Giovanni Gaetano Orsini
25.11.1277 - 22.8.1280
✳ Rome v. 1210 - ✝ Soriano, Viterbe 1280

Membre d'une grande famille romaine, il cherche à restaurer l'indépendance du patrimoine de saint Pierre. Il s'oppose aux ambitions de Charles d'Anjou. Véritable fondateur du palais du Vatican qu'il préfère au palais du Latran. Il développe la pratique du népotisme. (Règne : 2 ans et 9 mois.)

MARTIN IV

Simon de Brion
22.2.1281 - 28.3.1285
✳ Mainpicien v. 1210 - ✝ Pérouse 1285

Après une vacance de six mois, il est imposé par Charles Iᵉʳ d'Anjou auquel il inféode les intérêts de l'Église. Cela aboutit en 1283 à la rupture de l'union avec l'Église grecque. Il donne plus de pouvoir aux ordres mendiants (prêche et confession). (Règne : 4 ans et 1 mois.)

HONORIUS IV

Giacomo Savelli
2.4.1285 - 3.4.1287
✳ Rome v. 1210 - ✝ Rome 1287

Petit-neveu d'Honorius III, son pontificat est dominé par l'opposition entre Angevins et Aragonais en Sicile. Il confirme les privilèges et constitutions attribuées par son prédécesseur aux prêcheurs et aux ordres mineurs. (Règne : 2 ans.)

NICOLAS IV

Girolamo da Ascoli
22.2.1288 - 4.4.1292
✳ Lisciano (Ascoli) 1227 - ✝ Rome 1292

Premier franciscain à devenir pape, après 11 mois de vacance. Il impulse les missions orientales (auprès du khan de Mongolie). Soutient les Angevins aux dépens des Aragonais en Sicile. Premier pape mécène. Sous son règne, chute de la dernière place forte chrétienne en Palestine, Acre. (Règne : 4 ans et 1 mois et demi.)

CÉLESTIN V (SAINT)

Pietro del Morrone
5.7.1294 - 13.12.1294
✳ Isernia 1209 - ✝ Fumone (Latium) 1296

Fondateur d'un ordre mendiant, les célestins, il est élu à l'instigation de Charles II d'Anjou, les cardinaux n'arrivant pas à se mettre d'accord. N'acceptant pas les résistances à ses décisions, il abdique après cinq mois de règne et est incarcéré. Il meurt le 19 mai 1296 et sera canonisé sous le nom de saint Pierre Célestin (1313).

BONIFACE VIII

Benedetto Caeteni
24.12.1294 - 11.10.1303
✳ Anagni v. 1235 - ✝ Rome 1303

Dernier pape du Moyen Âge qui voit son pouvoir temporel se briser contre un État souverain : celui du roi de France Philippe le Bel. Sitôt élu, il annule les décisions de son prédécesseur et réorganise la Curie. Par la paix d'Anagni, il règle la question de Sicile. Il voulut imposer en 1294 l'exemption des clercs de tout impôt décidé par le pouvoir temporel et réagit au refus de Philippe le Bel par l'excommunication (attentat d'Anagni en 1303). À Rome, il s'attaque à la famille dominante, les Colonna. Esprit fort mais sans scrupule. (Règne : 8 ans et 10 mois et demi.)

BENOÎT XI (BIENHEUREUX)

Niccolo Boccasini
22.10.1303 - 7.7.1304
✳ Trévise 1240 - ✝ Pérouse 1304

Dominicain, il annule l'excommunication du roi de France Philippe le Bel. Chassé de Rome par les Colonna en mai. Béatifié en 1736. (Règne : 8 mois et demi.)

CLÉMENT V

Bertrand de Got
5.6.1305 - 20.4.1314
✳ Villandraut v. 1350- ✝ Roquemaure 1314

Chapelain de Boniface VIII, archevêque de Bordeaux, élu après un conclave qui dura près d'un an. Couronné à Lyon, il fixe la papauté dans le Comtat-Venaissin en 1309. Dans l'Affaire des Templiers, il sacrifie l'ordre à Philippe le Bel. (Règne : 8 ans et 10 mois et demi.)

(Vacance du Saint-Siège)

Du 1er mai 1314 à août 1316, à la suite de l'échec du conclave de Carpentras en 1314. Il ne se réunit de nouveau qu'en été 1316 sur l'insistance du roi de France.

JEAN XXII

Jacques Duèse
7.8.1316 - 4.12.1334
✳ Cahors 1244 - ✝ Avignon 1334

Évêque de Porto depuis 1313, il fixe la papauté en Avignon. Il accentua la politique centralisatrice en matière de bénéfices (taxes et impôts). Il condamna au sein des ordres monastiques ou mendiants les tendances radicales (adeptes du vœu de pauvreté totale). Il refusa de reconnaître Louis de Bavière comme empereur d'Allemagne, qui suscita un antipape Nicolas V (1328 à 1330). Controverse sur la vision béatifique qu'il rétracta sur son lit de mort. (Règne : 18 ans et 4 mois.)

NICOLAS V

Franciscain nommé en 1328 par Louis de Bavière, il renonça en 1330 et mourut en 1333.

BENOÎT XII

Jacques Fournier
20.12.1334 - 25.4.1342
✳ Saverdun ? - ✝ Avignon 1342

Cistercien, nommé cardinal en 1327, plus proche conseiller de Jean XXII, il fit construire le palais des papes à Avignon, après avoir décidé d'y rester en 1337. Il favorisa les ordres monastiques. (Règne : 7 ans et 4 mois.)

CLÉMENT VI

Pierre Roger
7.5.1342 - 6.12.1352
✳ Maumont 1291 - ✝ Avignon 1352

Cardinal en 1338, il chercha à défendre la souveraineté et l'infaillibilité de sa fonction. Intransigeant en matière doctrinale, menant un train de vie fastueux, gestionnaire avisé, il développa le népotisme (nomme de nombreux Limousins), il est critiqué par Pétrarque. Il acheta Avignon à Jeanne de Naples (1348) et prit parti pour la France durant la guerre de Cent Ans, affaiblissant la papauté en Angleterre. (Règne : 10 ans et 7 mois.)

INNOCENT VI

Étienne Aubert
18.12.1352 - 12.9.1362
✳ Beyssac 1282 ou 1295 - ✝ Avignon 1362

Cardinal en 1342, candidat de compromis, il voulut réformer sa fonction : réduction du train de vie et moralisation du recrutement des ordres monastiques. Il tenta de rétablir l'autorité pontificale en Italie en nommant légat le cardinal castillan Gil Albornoz. (Règne : 9 ans et 9 mois.)

URBAIN V (BIENHEUREUX)

Guillaume Grimoard
28.9.1362 - 19.12.1370
✳ Grisac 1310 - ✝ Avignon 1370

Bénédictin choisi hors du Sacré Collège, il essaya de maintenir vivant l'idéal de croisade. Il décide de revenir à Rome en 1367, mais devant l'instabilité politique régnant dans la ville, il la quitte en 1370. (Règne : 8 ans et 2 mois et demi.)

GRÉGOIRE XI

Pierre Roger de Beaufort
30.12.1370 - 26.3.1378
✳ Égletons (Limousin) 1329 - ✝ Rome 1378

Frère aîné de Clément VI, cardinal en 1348, il freina la réforme intérieure. Il annonça en 1374 le retour à Rome qui devint effectif en 1377. (Règne : 7 ans et 3 mois.)

URBAIN VI

Bartolomeo Prignano
18.4.1378 - 15.10.1389
✳ Naples v. 1318 - ✝ Rome 1389

Sa personnalité autoritaire joua un rôle décisif dans le déclenchement du grand schisme d'Occident (1378-1417). Chancelier apostolique sans être toutefois cardinal, il s'opposa au Sacré Collège qui, dès août, lui intima l'ordre d'abdiquer. Déclarant son élection illégale, ce dernier lui opposa Clément VII (octobre 1378). La chrétienté se divisa en deux obédiences et l'Italie en champ de bataille. Urbain VI reçoit le soutien des royaumes du nord et d'Europe centrale. Il erra de ville en ville et ne réussira pas à rétablir son autorité. Il a toutefois institué la fête de la Visitation. (Règne : 11 ans et 6 mois.)

BONIFACE IX

Pietro Tomacelli
2.11.1389 - 1.10.1404
✳ **Naples v. 1350 - ✝ Rome 1404**

Il réussit à conquérir Rome, mais ne put mettre à profit le décès de Clément VII, en 1394, pour régler le schisme. Il se vit opposer Benoît XIII. Il recouvra l'obédience française en 1403 et fit reconstruire le château Saint-Ange. (Règne : 14 ans et 11 mois.)

INNOCENT VII

Cosma de Migliorati
17.10.1404 - 6.11.1406
✳ **Sulmona 1336 - ✝ Rome 1406**

Cardinal en 1389, il fut chassé de Rome par une émeute dès 1405 et ne put rentrer que huit mois avant sa mort. Il refusa de rencontrer Benoît XIII. (Règne : 2 ans et 3 semaines.)

GRÉGOIRE XII

Angelo Correr
30.11.1406 - 4.7.1415
✳ **Venise v. 1325 - ✝ Recanati 1417**

Premier pape vénitien. Après de longues tractations, il accepte d'abdiquer au cours du concile de Constance (1414-1415), permettant aux deux obédiences de rester unies. Retiré, il meurt le 18.10.1417. (Règne : 8 ans et 8 mois.)

CLÉMENT (VII)

Robert de Genève (né en 1342), élu à Fondi le 20.9.1378, s'installe à Avignon en 1379. Il dispose du soutien de la quasi totalité de la Curie et des ordres religieux. Il meurt le 16.9.1394.

BENOÎT (XIII)

Pedro Martinez de Luna (né en 1342), élu le 28.9.1394, deux fois déposé par les conciles de Pise et de Constance (1417), refusa d'abdiquer. Il se retira dans la forteresse de Peniscola où il mourut le 23.5.1423.

ALEXANDRE V

Pierre Philargès
26.6.1409 - 3.5.1410
✳ **en Crète 1340 - ✝ Bologne 1410**

Franciscain, cardinal en 1405, élu par le concile de Pise pour dépasser la division entre urbanistes et clémentistes, la mort l'empêcha de réaliser l'union. Durant près d'un an, la papauté connut trois papes. (Règne : 11 mois.)

JEAN XXIII

Baldassare Cossa
17.5.1410 - 29.5.1415
✳ **Procida v. 1370 - ✝ Florence 1418**

Élu par l'obédience pisane, il se présente pour l'union au concile de Constance (1415). Il accepte d'être déposé et se soumet devant Martin V. Il mourut le 22.11.1418 après avoir été jugé, interné puis réhabilité. (Règne : 5 ans.)

CLÉMENT VIII

Élu par les partisans de Benoît XIII en 1423, il se soumet à Martin V en 1429.

BENOÎT XIV

Élu en 1425 par un cardinal fidèle de Benoît XIII, pour faire pièce à l'élection schismatique de Clément VIII.

MARTIN V

Odone Colonna
14.11.1417 - 20.2.1431
✳ **Genazzano 1368 - ✝ Rome 1431**

Il mit un terme au grand schisme et réinstalla la papauté à Rome en 1420. Il s'attela à la réforme des relations entre les différents royaumes et l'Église, et abolit les mesures vexatoires contre les juifs. (Règne : 13 ans et 3 mois.)

EUGÈNE IV

Gabriele Condulmer
3.3.1431 - 23.3.1447
✳ **Venise 1383 - ✝ Rome 1447**

Neveu de Grégoire XII, il affronta le concile de Bâle convoqué par Martin V. Hostile aux pères conciliaires qui défendaient l'idée de la primauté du concile sur le pape, il est suspendu par ces derniers en 1438. Déposé en 1439 par le même concile, il est remplacé alors par un antipape ; Amédée VIII, prince de Savoie, sous le nom de Félix V (1439-1449). À partir de 1440, Eugène IV assure toutefois sa position en obtenant une nouvelle réunion avec le rite grec, des ententes avec de nombreuses Églises orientales et en s'attirant la bienveillance de l'empereur. (Règne : 16 ans.)

FÉLIX V

Élu le 5.11.1439 par le concile de Bâle, le premier duc de Savoie fut fait prêtre en 1440 et resta pape jusqu'en avril 1449, acceptant de renoncer à sa fonction après une ultime médiation du roi de France. Il est mort le 7.1.1451.

NICOLAS V

Tommaso Parentucelli
6.3.1447 - 24.3.1455
✳ **Sarzana v. 1397 - ✝ Rome 1455**

Il réussit à régler le schisme de Félix V. Il couronna l'empereur Frédéric III à Rome (le dernier à l'être), acte qui lui redonna du prestige. Il fut le premier pape à tenter de redéfinir l'urbanisme de Rome et développa une activité de mécène. (Règne : 8 ans et 15 jours.)

CALIXTE III

Alfonso Borgia
8.4.1455 - 6.8.1458
✳ **Jativa 1378 - ✝ Rome 1458**

Valencien, habile diplomate, un de ses premiers actes de pape fut de canoniser son compatriote, saint Vincent Ferrier. Ordonna vainement en 1455 une croisade contre les Ottomans, maîtres de Constantinople depuis 1453. (Règne : 3 ans et 4 mois.)

PIE II

Enea Silvio Piccolomini
27.8.1458 - 15.8.1464
✳ **Sienne 1405 - ✝ Ancône 1464**

Cardinal en 1456, candidat des Italiens et des Impériaux, il s'inquiéta de la progression ottomane et déclara la croisade en 1460. Il ne put l'organiser que quatre ans plus tard, mais mourut en chemin, avant l'embarquement, dans le port d'Ancône. (Règne : 6 ans.)

PAUL II

Pietro Barbo
30.8.1464 - 26.7.1471
✳ **Venise 1417 - ✝ Rome 1471**

Neveu d'Eugène IV, il est issu d'une famille de marchands. Pour Rome, il rédigea de nouveaux statuts municipaux (1469). Ne pouvant organiser une croisade, il finança la résistance du condotierre albanais George Castriota, dit Skanderberg. (Règne : 6 ans et 11 mois.)

SIXTE IV

Francesco Della Rovere
9.8.1471 - 12.8.1484
✳ Savone 1414 - ✝ Rome 1484

Franciscain, cardinal en 1467, élu pour ses qualités intellectuelles et de diplomate, il échoua dans l'organisation d'une croisade et dans ses tentatives de réconciliation avec les Églises de rite grec. Impliqué dans les guerres d'Italie, il fut accusé de népotisme. Mais Rome lui doit de nombreuses initiatives architecturales : fondation des musées capitolins, restauration de nombreuses églises et de la chapelle Sixtine (Règne : 13 ans.)

INNOCENT VIII

Giovanni Battista Cybo
29.8.1484 - 25.7.1492
✳ Gênes 1432 - ✝ Rome 1492

Favori du clan des Della Rovere, il fut indécis et sans caractère. Il pratiqua un népotisme scandaleux (il maria son fils illégitime à une Médicis). Il reconnut Henri VII Tudor roi d'Angleterre après la guerre des Deux-Roses. Ne pouvant organiser une croisade contre les Ottomans, il choisit de nouer des relations diplomatiques avec le sultan Bajazet II. Sa politique exigeant des fonds importants, il multiplia les indulgences. Il légitima en 1484 l'intervention de l'Inquisition dans les affaires de sorcellerie. (Règne : 7 ans et 11 mois.)

ALEXANDRE VI

Rodrigo Borgia
11.8.1492 - 18.8.1503
✳ Játiva 1431 - ✝ Rome 1503

D'origine espagnole, neveu de Calixte III, vice-chancelier de la Curie depuis 1456, il fut élu pour ses qualités de diplomate après que les partis italien et francophile eurent échoué à imposer leur candidat. Il excommunia le prêtre florentin Savonarole qui fut exécuté en 1498. Il essaya de lancer l'Europe dans une nouvelle croisade en 1500, mais seule l'Espagne et l'Italie répondirent à son appel. Mécène, il favorisa l'architecte Antonio da Sangallo le Jeune, fit construire l'université de la Sapienza. Sensuel et cultivé, il s'avéra un véritable prince de la Renaissance italienne. (Règne : 11 ans.)

PIE III

Francesco Todeschini Piccolomini
22.9.1503 - 18.10.1503
✳ Sienne 1439 - ✝ Rome 1503

Neveu de Pie II, cardinal en 1460, pape de compromis, il ne régna que durant vingt-six jours.

JULES II

Giuliano Della Rovere
1.11.1503 - 21.2.1513
✳ Albisola (Savone) 1443 - ✝ Rome 1513

Neveu de Sixte IV, cardinal en 1471, ses premières mesures concernent la mise au pas de César Borgia. Il chercha à faire de la papauté la première puissance de la péninsule et pour cela n'hésita pas devant les retournements d'alliance les plus déroutants : alternant coalition et alliance avec Venise, il combat énergiquement les ambitions françaises. Pape soldat (il guerroie à la tête de l'armée) et mécène, il charge, dès 1505, Bramante de reconstruire la basilique Saint-Pierre et fait appel à Raphaël et à Michel-Ange pour la décoration. Il réunit le Ve concile du Latran (1512) qui scelle l'alliance avec l'empereur, et condamne les prétentions du roi de France sur l'Italie. (Règne : 9 ans et 3 mois et demi.)

LÉON X

Giovanni de Médicis
9.3.1513 - 1.12.1521
✳ Florence 1475 - ✝ Rome 1521

Second fils de Laurent le Magnifique, cousin de Clément VII, cardinal à 13 ans, il a été élu pour assurer la garantie financière du Saint-Siège. Il s'entendit avec le jeune roi de France, François Ier, (règlement de la question de la pragmatique sanction). Il nomma cardinaux de nombreux nobles romains qui n'avaient jamais été prêtres. Il écarta la menace française et instaura une phase de paix dans ses États. Vivant dans le plus grand luxe, il commanda de nombreux travaux au peintre Raffaele Sanzio (Raphaël), son artiste favori. Durant son règne commença, en Allemagne, la prédication de Martin Luther (1517 : apposition des thèses de Wittenberg), qu'il pensa annihiler d'une mesure d'excommunication. (Règne : 8 ans et 8 mois et 3 semaines.)

ADRIEN VI

Adriaan Florensz
9.1.1522 - 14.9.1523
✳ Utrecht 1459 - ✝ Rome 1523

Dernier pape non italien avant l'élection de Jean-Paul II en 1978, ce cardinal hollandais proposé par le cardinal Giulio de' Médicis se présente comme un partisan de la réforme de l'Église. Il hésita un mois avant de donner son accord et ne fut pas bien accueilli par la population romaine. Très informé sur les affaires espagnoles, il avait été le précepteur du jeune Charles Quint. Bien qu'il partageât certaines critiques émises par Luther et Melanchton, et admît ainsi des erreurs de l'Église, il ne réussit pas à les convaincre de rester dans l'Église. Dans les affaires diplomatiques, il prit parti pour les Impériaux contre les Français. (Règne : 1 an et 8 mois.)

CLÉMENT VII

Giulio de Médicis
19.11.1523 - 25.9.1534
✳ Florence 1478 - ✝ Rome 1534

Son pontificat a été marqué par plusieurs événements qui freinent le développement de la papauté. Cousin de Léon X, Clément VII a plutôt subordonné la politique pontificale à ses intérêts familiaux, à savoir le maintien au pouvoir des Médicis à Florence. Naturellement favorable à l'Empire, il se détourne de Charles Quint au profit des Français. Pour se venger, l'empereur décide d'envoyer son armée piller Rome en 1527, sans que cet acte de destruction barbare ne suscite de réaction. Le pontificat fut aussi marqué, en 1534, par l'excommunication du roi d'Angleterre Henri VIII qui ouvrit la voie à un nouveau schisme. (Règne : 10 ans et 10 mois.)

PAUL III

Alessandro Farnese
13.10.1534 - 10.11.1549
✳ Canino 1468 - ✝ Rome 1549

Le pontificat de Paul III est marqué par l'initiative réformatrice du souverain pontife pour répondre au défi lancé par les réformateurs protestants : le concile de Trente, dont la première session débute en 1545. En même temps, cette action s'accompagna du renforcement de la capacité de réponse traditionnelle de l'Église en cas de crise : rétablissement de l'Inquisition en 1542, sa vocation pour la conversion avec la confirmation des règles de l'ordre de saint Ignace de Loyola, en 1540. Il réussit à imposer à l'empereur la tenue d'un concile. Paul III fit procéder à de nombreux travaux urbanistiques à Rome. Il engagea Vasari pour réaliser le palais de la chancellerie et la chapelle pauline. (Règne : 15 ans et 1 mois.)

JULES III

Giovan Maria de Ciocchi del Monte
8.2.1550 - 23.3.1555
✳ Rome 1487 - ✝ Rome 1555

Cardinal en 1536, il est élu au bout de 71 scrutins. Candidat de compromis désigné pour surmonter la division du Sacré Collège entre les partis français et impérial. Il décide de poursuivre l'œuvre conciliaire de son prédécesseur et convoque une nouvelle session du concile à Trente, en 1551 en Terre d'Empire (un choix qui servit de prétexte à Henri II, le roi de France, pour interdire aux évêques français de s'y rendre). En 1552, il entreprend une grande réforme du gouvernement papal, interrompue par sa mort. La restauration du catholicisme en Angleterre avec Marie Tudor rapproche Rome et Londres. En art, Jules III protège Palestrina en musique, Michel-Ange en peinture et Vignole en architecture. (Règne : 5 ans et 6 semaines.)

MARCEL II

Marcello Cervini
10.4.1555 - 1.5.1555
✳ Montepulciano 1501 - ✝ Rome 1555

Ce règne de vingt jours fut immortalisé par le chef-d'œuvre de Palestrina, *la Messe du pape Marcel*. Cardinal en 1539 et chef de la bibliothèque Vaticane, il refusa sitôt élu d'adopter un autre prénom. Il décida que les évêques devaient résider dans leur circonscription.

PAUL IV

Gian Pietro Carafa
23.5.1555 - 18.8.1559
✳ Avellino 1476 - ✝ Rome 1559

Fondateur de l'ordre des Théatins. (Règne : 4 ans et 3 mois.)

PIE IV

Gian Angelo de Médicis
28.12.1559 - 9.12.1565
✳ Milan 1499 - ✝ Rome 1565

Cardinal en 1549, élu à l'issue d'un très long conclave de plus de trois mois. En 1562, il relance le concile de Trente : rapidement des décrets fondamentaux sont promulgués (essentiellement ceux concernant le statut du prêtre et la création des séminaires). En 1564, il fait publier à l'Index la liste des œuvres interdites. Sous son règne est rédigé le catéchisme romain qui sera promulgué après sa mort, de même que le bréviaire et le missel. Il est aidé dans sa tâche par son neveu, saint Charles Borromée. À partir de 1564, il adopte un train de vie moins dispendieux. Il a ordonné de nombreux travaux d'urbanisme à Rome. (Règne : 5 ans et 11 mois et demi.)

PIE V (SAINT)

Antonio Ghislieri
7.1.1566 - 1.5.1572
✳ Boscomarengo 1504 - ✝ Rome 1572

Grand pape de la Contre-Réforme, il est connu pour son rôle dans la croisade dont la bataille de Lépante est un des hauts faits (1571), par l'adoption du rosaire et par le rôle attribué à l'Inquisition. Dominicain, commissaire général de l'Inquisition en 1551, cardinal en 1557, membre du clan Carafa, il connaît une certaine disgrâce sous Pie IV. Candidat agréé par l'Espagne, il veut rétablir le catholicisme en Écosse, finance les catholiques français dans leur lutte contre les huguenots, crée une ligue des princes pour lutter contre les Turcs. S'il n'a fait seulement qu'approuver la publication du catéchisme du concile, il a, en revanche, participé personnellement à la rédaction du bréviaire (1568) et à celle du missel (1570). Sous ce souverain pontife, le pape s'affirme comme le principal responsable de la liturgie catholique. L'importance du règne de Pie V dans la mémoire de l'Église est symbolisée par sa canonisation en 1712. Celle-ci se fonde sur la dimension de prêtre et de pasteur qu'il a donnée à sa fonction et non pas seulement à sa seule stature de prince ou de chef d'État. (Règne : 6 ans et 4 mois.)

GRÉGOIRE XIII

Ugo Boncompagni
13.5.1572 - 10.4.1585
✳ Bologne 1502 - ✝ Rome 1585

Cardinal en 1565, il fut élu pape avec l'appui de l'Espagne. Son pontificat fut marqué par plusieurs échecs pour former une nouvelle croisade antiturque ou pour contenir l'expansion protestante en Angleterre, en Écosse et en Suède. Sur le plan religieux, il appliqua les réformes décidées par le concile de Trente. Il établit un programme systématique de visites apostoliques dans toute l'Italie, s'attacha à développer la formation des prêtres (création de collèges à Rome), finança les actions des jésuites au Japon. Il favorisa les missions en Asie et en Afrique. Enfin, il réforma le calendrier julien. La proclamation de l'année sainte en 1575 fut l'occasion d'importants travaux architecturaux et d'urbanisme à Rome. (Règne : 12 ans et 11 mois.)

SIXTE V OU SIXTE QUINT

Felice Peretti
24.4.1585 - 27.8.1590
✳ Montalto 1520 - ✝ Rome 1590

Issu d'une famille de petits fermiers, franciscain en 1552, fait cardinal en 1570, il est élu grâce au parti espagnol qui l'imposa aux nobles romains. Symbole du retour de la suprématie des ordres monastiques à Rome, il réorganisa le gouvernement de l'Église en 1588, en publiant la bulle *Immensa aeterni Dei* qui établit la liste des quinze congrégations vaticanes permanentes. Il exerça le pouvoir de manière absolutiste et particulièrement efficace dans les États de l'Église (constitution d'un trésor au château Saint-Ange). Il soutint financièrement toutes les actions antiprotestantes des princes catholiques espagnols ou français. (Règne : 5 ans et 4 mois.)

URBAIN VII

Giovan Battista Castagna
du 15 au 27.9.1590
✳ Rome v. 1521 - ✝ Rome 1590

Issu de la noblesse romaine, cardinal en 1583, proespagnol modéré, il est le favori facilement élu, mais est mort avant d'être couronné. (Règne : 12 jours.)

GRÉGOIRE XIV

Niccolò Sfondrati
5.12.1590 - 16.10.1591
✳ Somma 1535 - ✝ Rome 1591

Apparenté aux Visconti, fils de cardinal (devenu prêtre après le décès de sa femme), cardinal lui-même en 1583, proespagnol modéré, il est élu au bout de deux mois de conclave. Après avoir tenté de régler les problèmes sociaux et politiques qui touchent ses États, sur le plan religieux, il encourage la Ligue en France contre Henri IV. Il confirme les statuts de la compagnie de Jésus. Gravement malade, il meurt après 10 mois et 10 jours de règne.

INNOCENT IX

Gian Antonio Facchinetti
29.10.1591 - 30.12.1591
✳ Bologne 1519 - ✝ Rome 1591

Cardinal en 1583, il ne règne que deux mois. Après avoir opéré un grand changement à la secrétairerie d'État, il la divise en trois sections : France et Pologne ; Italie et Espagne ; Allemagne. Il meurt lors d'un pèlerinage.

CLÉMENT VIII

Ippolito Aldobrandini
30.1.1592 - 3.3.1605
✳ Fano 1536 - ✝ Rome 1605

Cardinal en 1585, il a la faveur de Sixte Quint, puis du parti espagnol et est élu pour sa grande piété. Il accroît ses États en annexant Ferrare. En 1595, il décide l'absolution du roi de France Henri IV que Sixte Quint avait censuré. Les relations diplomatiques entre la France et Rome furent rétablies en 1596 (après avoir été interrompues en 1588). Il aida au rétablissement de la paix entre l'Espagne, la France et la Savoie. Sur le plan religieux, il poursuivit l'application de la réforme tridentine qui fut marquée par une lutte sans pitié contre l'hérésie (exécution de Giordano Bruno, en 1600). Importante activité éditoriale avec la publication de la *Vulgate* (1592), du cérémonial des évêques (1600), du missel (1604). En 1595, il obtint l'obédience définitive de l'Église ruthène (auj., Église ukrainienne). Il créa l'évêché de Manille, aux Philippines. (Règne : 13 ans et 1 mois.)

LÉON XI

Alessandro de Médicis
du 1er au 27.4.1605
✳ Florence 1535 - ✝ Rome 1605

Petit-neveu de Léon X, cardinal en 1583, il est soutenu par le parti français lors de son élection, mais décède à la suite d'une pleurésie après 26 jours de règne.

PAUL V

Camillo Borghèse
16.5.1605 - 28.1.1621
✳ Rome 1552 - ✝ Rome 1621

Cardinal en 1603 et évêque effectif de Rome, il est élu à l'unanimité dépassant le conflit parti espagnol-parti français. Il installe immédiatement des membres de sa famille à la tête de l'organisation vaticane. Cette famille soutenue autant par la France que par l'Espagne commence ainsi une longue période d'hégémonie sur la papauté. Très actif à Rome, Paul V commande de nombreux travaux dans la ville. Il s'efforce de promouvoir la Contre-Réforme dans le sens des décrets du concile de Trente, plus particulièrement en matière de respect de la résidence des évêques et de la clôture monastique. Il béatifie les plus grands acteurs de la Contre-Réforme : Ignace de Loyola et Thérèse d'Ávila. Il se heurte à la République de Venise (1604-1607) qui veut maintenir son contrôle sur l'activité de l'Église sur son territoire. (Règne : 15 ans et 8 mois et demi.)

GRÉGOIRE XV

Alessandro Ludovisi
9.2.1621 - 8.7.1623
✳ Bologne 1554 - ✝ Rome 1623

De famille noble, cardinal en 1616, il est l'élu du clan Borghèse, même s'il est déjà gravement malade. Il fixe pour plusieurs siècles les règles du conclave (en 1621 et en 1622) ; il fonde la congrégation de la Propagande, destinée à agir pour la propagation de la foi afin de pouvoir évangéliser tous les peuples du monde (1622). Dans le prolongement de cette mesure, Grégoire XV se fait le protecteur des jésuites et renforce les modalités de lutte contre la « sorcellerie ». (Règne : 2 ans et 5 mois.)

URBAIN VIII

Maffeo Vincenzo Barberini
6.8.1623 - 29.7.1644
✳ Florence 1568 - ✝ Rome 1644

Issu d'une famille de marchands, cardinal en 1606, candidat du parti profrançais, il exerce son pouvoir à la manière d'un souverain absolu. Son pontificat est marqué par la guerre de Trente Ans qui ensanglante l'Allemagne et l'Empire : tâche difficile, puisque parfois les intérêts stratégiques des États de l'Église ne coïncident pas avec ceux du catholicisme. Le soutien à l'empereur, aux Autrichiens et aux Espagnols peut conduire à un renforcement de leur influence en Italie même. Ainsi est-il paralysé devant l'attitude de la France de Richelieu qui s'allie aux princes allemands protestants. Il développe les missions hors d'Europe. Il fixe les procédures de béatification qui resteront inchangées jusqu'en 1983. Sur le plan culturel, il condamne Galilée accusé par les jésuites (1633) ainsi que l'*Augustinus*, œuvre de Jansénius (1643). Enfin, il se révèle un mécène avisé puisqu'il confie au Bernin sa première commande officielle et qu'il lui fait réaménager la basilique Saint-Pierre, consacrée en 1626. (Règne : 21 ans.)

INNOCENT X

Giovanni Battista Pamfili
15.9.1544 - 7.1.1655
✳ Rome 1574 - ✝ Rome 1655

Issu de la noblesse romaine, cardinal en 1627, membre du groupe des « jeunes cardinaux », il est l'élu du parti espagnol. Son pontificat marque la crise du système du népotisme instauré depuis un siècle et l'importance croissante du cardinal secrétaire d'État. Non accepté par Mazarin, son élection aboutit à un conflit avec la France qui n'est résolu qu'en 1648. La même année, la signature des traités de Westphalie qui mettent fin à la guerre de Trente Ans marquent l'affaiblissement des positions de l'Église en Europe. Le pape condamne le jansénisme en 1653 avec l'appui des rois d'Espagne et de France. Il développe les missions mais ne suit pas les jésuites sur la validité des rites chinois. (Règne : 10 ans et 4 mois.)

ALEXANDRE VII

Fabio Chigi
7.4.1655 - 22.5.1667
✴ Sienne 1599 - ✝ Rome 1667

D'origine noble, négociateur malheureux des traités de Westphalie (1648) qu'il qualifie d'infâme, il est l'élu du parti espagnol. Son pontificat commence par l'affaire du jansénisme condamné par son prédécesseur par la bulle *Cum occasione* et qu'il réitéra en 1656 par une autre bulle, *Ad Sanctam Beati Petri Sedem*. Il renforça le rôle des congrégations. En 1656, il toléra les rites chinois condamnés dix ans auparavant. Sur le plan du mécénat, il fit construire la colonnade de la place Saint-Pierre par le Bernin. Plusieurs incidents politiques et diplomatiques envenimèrent les relations de la papauté avec la France de Louis XIV. (Règne : 12 ans et 1 mois.)

CLÉMENT IX

Giulio Rospigliosi
20.6.1667 - 9.12.1669
✴ Pistoia 1600 - ✝ Rome 1669

Cardinal en 1657, il est élu par une convergence exceptionnelle des partis espagnol et français. Il s'attacha à la réconciliation avec la France en 1668 : la paix clémentine. Malgré tous ses efforts, il ne put empêcher la chute de la place forte de Candie aux mains des Ottomans (1669). (Règne : 2 ans et demi.)

CLÉMENT X

Emilio Altieri
29.4.1670 - 22.7.1676
✴ Rome 1590 - ✝ Rome 1676

De vieille famille romaine, cardinal en 1669, candidat de compromis choisi pour son âge avancé. Sa décision de taxer les étrangers résidant à Rome aboutit à l'affaire des Ambassadeurs (1675) dont la résolution se solda par une rupture de fait des relations entre Rome et la France. Il canonisa Rose de Lima, la première sainte d'Amérique du Sud, ainsi que le réformateur des carmes, Jean de la Croix. Il créa également le premier diocèse d'Amérique du Nord, en 1674, à Québec. À Rome, il ordonna des travaux d'embellissement dont certains dans la basilique Saint-Pierre (escaliers enserrant l'abside). (Règne : 6 ans et 3 mois.)

INNOCENT XI (BIENHEUREUX)

Benedetto Odescalchi
21.9.1676 - 12.8.1689
✴ Côme 1611 - ✝ Rome 1689

D'ancienne noblesse, cardinal en 1645, très populaire auprès des Romains, il est élu en dépit de l'opposition française. Il milite pour la réconciliation entre l'Empire et la France, que repousse Louis XIV auquel l'oppose la question de la procédure de nomination des évêques. Il condamne le quiétisme du prédicateur espagnol Molinos (1687). (Règne : 12 ans et 11 mois.)

ALEXANDRE VIII

Pietro Ottoboni
6.9.1689 - 1.2.1691
✴ Venise 1610 - ✝ Rome 1691

De noble famille vénitienne, cardinal en 1652, secrétaire du Saint-Office, candidat de la Curie et des Français, il veut régler le différend avec Louis XIV mais meurt avant de mettre à bien ce projet. (Règne : 16 mois.)

INNOCENT XII

Antonio Pignatelli
12.7.1691 - 27.9.1700
✴ Spinazzola 1615 - ✝ Rome 1700

Cardinal en 1681, il mène une carrière diplomatique. Il est élu pape à la conclusion d'un conclave de cinq mois, dont la longueur renvoie à une situation diplomatique complexe. Sur le plan du gouvernement de l'Église, il adopta une bulle condamnant le népotisme (1692). Il condamna les thèses de Fénelon en 1699, prenant position pour celles de Bossuet. Il se réconcilia avec Louis XIV en 1693 quand ce dernier céda devant la fermeté papale. Il accepta la nomination d'un luthérien au trône de Pologne à condition que les Polonais puissent toujours pratiquer la religion catholique (garantie du traité de Ryswick en 1697). (Règne : 9 ans et 2 mois.)

CLÉMENT XI

Giovanni Francesco Albani
23.11.1700 - 19.3.1721
✴ Urbino 1649 - ✝ Rome 1721

De petite noblesse, cardinal en 1690, profrançais, il est consacré évêque pour pouvoir être couronné pape. Tout d'abord proche de Louis XIV durant la guerre de Succession d'Espagne, il s'en détache devant l'invasion de ses États par les Impériaux : il rompt avec Madrid (Philippe V d'Anjou) et se rapproche de Charles de Habsbourg, candidat des Impériaux. La signature du traité de Rastatt en 1714 constitue un échec pour le Saint-Siège. Il tente alors d'organiser une nouvelle croisade contre les Turcs qui aboutit en 1716 à la reprise de l'île de Corfou. Les rapports avec Madrid, mis en danger par l'affaire Alberoni, sont rétablis en 1721. Il condamne les 101 propositions jansénistes de Quesnel par la bulle *Unigenitus* (1713). Sur le plan de la propagation de la foi, il augmente les moyens de la congrégation mais il s'oppose aux jésuites sur les rites chinois. (Règne : 20 ans et 4 mois.)

INNOCENT XIII

Michelangelo Conti
8.5.1721 - 7.3.1724
✴ Rome 1655 - ✝ Rome 1724

Comptant un pape parmi ses ancêtres, Innocent III, cardinal en 1706, défendit les droits du Saint-Siège sur la question de la Sicile et tenta de récupérer la ville de Comacchio, possession papale en Italie du Nord, occupée par les Impériaux. (Règne : 2 ans et 10 mois.)

BENOÎT XIII

Vincenzo Maria Orsini
29.5.1724 - 21.2.1730
✴ Gravina 1649 - ✝ Rome 1730

De famille de vieille noblesse qui donna deux papes, dominicain, cardinal en 1672, très pieux, il est un très actif évêque de Bénévent. Candidat de compromis (deux mois de conclave), il est considéré comme peu politique. Il signe un concordat avec le roi de Sicile et Sardaigne. (Règne : 5 ans et 9 mois.)

CLÉMENT XII

Lorenzo Corsini
12.7.1730 - 6.2.1740
✴ Florence 1652 - ✝ Rome 1740

Cardinal-évêque de Frascati en 1725, mécène et protecteur des lettres, il est l'élu de la Curie. Intervint plus dans les affaires politiques que religieuses : redressement des finances du Saint-Siège, opposition à l'Espagne. Par la constitution *In eminenti*, il condamna la franc-maçonnerie (1738). Sur le plan culturel, il développa la bibliothèque Vaticane. (Règne : 9 ans et demi.)

BENOÎT XIV

Prospero Lambertini
17.8.1740 - 3.5.1758
✳ Bologne 1675 - ✝ Rome 1758

De famille patricienne modeste, cardinal en 1728, auteur d'ouvrages remarqués sur la canonisation des saints et sur l'activité diocésaine, il est proche de la dévotion populaire. Il ne fut élu qu'au 255e scrutin après six mois de conclave. Il se donne pour tâche de revigorer les institutions religieuses et de les mettre en phase avec une société dont il perçoit des modifications fondamentales. Il signe des concordats avec la Sardaigne (1741), l'Espagne (1753) et le Portugal (1745). Il fut le premier à délivrer une encyclique, en 1740 (*Ubi primum*). Il condamna les rites chinois en 1742-1744 et l'usure en Italie (1745). Après avoir été loué par certains intellectuels pour sa sagesse, il mit à l'Index – qu'il réorganisa en 1755 – les principales œuvres des Lumières : Voltaire, Montesquieu. Son mécénat s'exerça plus particulièrement au profit des académies et de l'archéologie. Attentif à la formation des élites, il réforma l'université de Rome et ouvrit celle de Bologne aux sciences. (Règne : 17 ans et 9 mois.)

CLÉMENT XIII

Carlo Rezzonico
6.7.1758 - 2.2.1769
✳ Venise 1693 - ✝ Rome 1769

De noblesse vénitienne récente, cardinal en 1737, il est élu au bout d'environ deux mois de conclave. Il se trouve confronté à l'opposition des États catholiques au caractère supranational de l'Église qui s'illustre par plusieurs courants (gallicanisme, en France, mais aussi régalisme, etc.). Ce conflit se cristallise sur le sort réservé par plusieurs pays aux jésuites, au Portugal dès 1759, en Espagne en 1761 (expulsion en 1768 des jésuites des réductions indiennes au Paraguay), en France en 1762. Contre tous, il confirme solennellement ces derniers en 1765 (bulle *Apostolicum pascendi*). Clément XIII confirme

également son hostilité aux Lumières avec l'inscription à l'Index des œuvres de Rousseau, Diderot ou Febronius. En 1766, il condamne par encyclique l'incroyance et la philosophie des Lumières. Son pontificat est également marqué par un renouvellement de la piété : culte du Sacré-Cœur auquel il dédie une fête ; l'Espagne est placée sous le patronage de l'Immaculée Conception. (Règne : 10 ans et 7 mois.)

CLÉMENT XIV

Giovan Vincenzo Ganganelli
19.5.1769 - 22.9.1774
✳ Forli 1705 - ✝ Rome 1774

Fils de médecin, enseignant franciscain, cardinal en 1759, il est élu après un long conclave (185 scrutins et trois mois de négociations). Il améliore les relations avec les grandes monarchies et entérine leur hostilité envers les jésuites par la suppression de la Compagnie de Jésus par un bref en 1773. En échange, la souveraineté du pape est rétablie sur Avignon et Bénévent. (Règne : 5 ans et 4 mois.)

PIE VI

Giovanni Angelo Braschi
15.2.1775 - 29.8.1799
✳ Cesena 1717 - ✝ Valence (France) 1799

De vieille famille noble, cardinal en 1773, il est élu avec le soutien du parti français. Il débuta son pontificat par une violente attaque contre la philosophie des Lumières. Sachant que la lutte pour les consciences devenait importante, il créa le *Giornale ecclesiastico di Roma*. Il s'opposa à l'Église de Hollande puis à l'empereur d'Autriche. Pour Rome, il développa une véritable politique financière destinée à rétablir la situation économique de ses États. Malgré sa prudence, il se vit contraint de condamner la politique religieuse des révolutionnaires français (bref *Quod aliquantum*). En mai 1791, les relations sont rompues ; en 1792, Avignon et le Comtat sont annexés, et en janvier 1793, le représentant français est assassiné. Pie VI qualifie Louis XVI de martyr après son exécution. En 1796, les campagnes militaires conduisent les soldats de la République en Italie : le traité de paix de Tolentino (1797) démembre les États de l'Église au profit de la France. En 1798,

lors de l'occupation de Rome par cette dernière il est rattrapé dans son exil et arrêté. Conduit à Briançon puis à Valence, il meurt au bord du Rhône, en prisonnier. Sa dépouille fut restituée en 1802 à Rome. (Règne : 24 ans et demi.)

PIE VII

Gregorio Luigi Barnaba Chiaramonti
14.3.1800 - 20.8.1823
✳ Cesena 1742 - ✝ Rome 1823

D'une ancienne famille noble, bénédictin, cardinal en 1785, il est élu à Venise au bout de trois mois de conclave. Dans sa première encyclique il déclare son prédécesseur martyr et choisit comme secrétaire d'État Ercole Consalvi qui mène une politique de « réformiste conservateur » dans les États. Avec Bonaparte, il accepte de rétablir la paix religieuse en France, en signant le concordat de 1801 après de longues et difficiles négociations : il accepte que le catholicisme ne soit plus la religion d'État mais de la majorité des Français. Un concordat similaire est signé en 1803 avec la République italienne. Ensuite, Pie VII accepte de se rendre à Paris pour couronner Bonaparte empereur (1804). Désirant introduire toutes les réformes issues de la Révolution dans l'Empire, Napoléon Ier se heurte au pape : Napoléon annexe les États pontificaux en 1809, Pie VII excommunie l'empereur qui ordonne son arrestation (1809-1814). Libéré en 1814, il retourne à Rome. C'est le cardinal Consalvi qui obtient des grandes puissances le rétablissement des États de l'Église (moins Avignon et le Comtat qui restent à la France). Les jésuites sont rétablis en 1814 (constitution *Sollicitudo omnium ecclesiarum*). Les dernières années du pontificat sont marquées par l'affermissement du pouvoir à travers le développement de la politique concordataire avec de nombreux États. (Règne : 23 ans et 5 mois.)

LÉON XII

Annibale Sermattei Della Genga
28.9.1823 - 10.2.1829
✳ Genga 1760 - ✝ Rome 1829

D'origine noble, cardinal en 1816, membre du parti italien, il est élu après un conclave de 25 jours. Dans un premier élan il tente de récuser le choix, prétextant un état de santé chancelant. Luttant contre la maladie, le pape n'a en vue qu'une restauration religieuse (proclamation d'une année sainte en 1825 qui a un grand succès en Italie). Parallèlement, il tente de rétablir l'autorité de l'État sur ses territoires : mesures contre les brigandages. Il instaure un ordre moral qui touche aux mœurs aussi bien qu'aux vêtements. Il décide également la réclusion des juifs dans le ghetto. Il réorganise l'Église des pays d'Amérique du Sud devenus indépendants. La diplomatie pontificale connaît son plus grand succès avec l'adoption, en Grande-Bretagne, du bill d'émancipation des catholiques. (Règne : 5 ans et 4 mois.)

PIE VIII

Francesco Saverio Castiglioni
31.3.1829 - 30.11.1830
✴ Cingoli 1761 - ✝ Rome 1830

Issu de la noblesse, cardinal en 1816, il est le candidat de Metternich et de Chateaubriand. Il promeut l'action et l'œuvre d'Alphonse de Liguori et abandonne la condamnation de l'usure : le profit d'un prêt est limité à 5 %. (Règne : 1 an et 8 mois.)

GRÉGOIRE XVI

Bartolomeo Alberto Cappellari
2.2.1831 - 1.6.1846
✴ Belluno 1765 - ✝ 1846

De famille patricienne, bénédictin, cardinal en 1825, il est élu à la suite d'un conclave difficile de 50 jours en pleine effervescence révolutionnaire. Sitôt couronné, Grégoire XVI apprend la révolte de Bologne et des Marches qu'il fait réprimer par les Autrichiens (mars 1831). La région ne sera pacifiée qu'en 1832. Entre-temps, les grandes puissances demandent une réforme profonde des États de l'Église, dernier État féodal d'Europe. À partir de 1831, l'ensemble des activités gouvernementales sont réorganisées. Résolument conservateur, Grégoire XVI publie l'encyclique *Mirari vos* qui condamne le christianisme libéral de Lamennais. Les victoires des mouvements libéraux en Espagne et au Portugal aboutissent à la rupture des relations diplomatiques et au soutien par le Vatican des prétendants légitimistes. C'est hors d'Europe que la papauté connaît de larges succès :

en Amérique, en Afrique du Nord sur les traces de la colonisation européenne. Rome devient malgré certaines condamnations virulentes le centre du renouveau catholique des années 1840. (Règne : 15 ans et 4 mois.)

PIE IX

Giovanni Maria Mastai Ferretti
16.6.1846 - 7.2.1878
✴ Senigallia 1792 - ✝ Rome 1878

Le plus long règne de la papauté moderne. De petite noblesse, cardinal en 1840, il est rapidement élu au quatrième tour de scrutin pour sa piété et pour son attitude plus ouverte vis-à-vis de la société italienne en mutation. Cherchant à supplanter la politique française de protection des chrétiens au Proche-Orient, il rétablit le patriarcat latin de Jérusalem en 1847. Puis, il dut affronter la révolution de 1848 qui se fit en Italie sous le signe du mouvement d'indépendance dirigé contre l'Autriche, un mouvement envers lequel il lui fut difficile de maintenir une attitude neutre. Son attitude jugée trop réservée par les Romains déboucha sur l'insurrection et la proclamation de la République romaine en 1849. Installé à Gaète, Pie IX appela au secours les grandes puissances. Aidé par l'armée de Louis-Napoléon Bonaparte, il put réintégrer Rome en 1850. Dans les années suivantes, le pape prit plusieurs décisions importantes : il proclama le culte de l'Immaculée Conception en 1854, correspondant au type de piété populaire qu'il souhaitait. Il multiplia la signature de concordats avec plusieurs pays (Autriche et Portugal). Mais l'événement majeur pour la papauté reste la perte de la quasi-totalité des États pontificaux dans le cadre des guerres de l'unification italienne. Considérant la perte de ses possessions temporelles comme un affaiblissement dangereux des pouvoirs de l'Église, le pape subit les événements : l'excommunication des Italiens ne freina pas l'unification sous la bannière royale du Piémont-Sardaigne. En 1861, le territoire pontifical est réduit au Latium. En 1864, le pape dénonce la société moderne à travers deux textes : une encyclique, *Quanta cura*, et une liste de 80 propositions condamnées, le *Syllabus*. Comprenant que l'ensemble de l'Église

était confrontée à un défi historique, le pape mûrit l'idée de convoquer un concile œcuménique, qu'il inaugura en 1869. Simultanément, il développa le dogme de l'infaillibilité pontificale, adopté par une constitution intitulée *Pastor aeternis*. Mais l'œuvre du concile Vatican I est interrompue par la prise de Rome par les troupes italiennes. Refusant de s'enfuir, le pape s'enferma dans ses palais, où il meurt en 1878. (Règne : 31 ans et 7 mois et demi.)

LÉON XIII

Vincenzo Giacchino Pecci
20.2.1878 - 20.7.1903
✴ Carpineto 1810 - ✝ Rome 1903

Fils d'un notable de province, cardinal en 1853, il adopta une position très différente de celle de son prédécesseur sur de nombreux points : il voulut restaurer la puissance du Vatican en lui donnant une autorité capable de parler d'État à État sans être un État comme les autres ; porté à la négociation et favorable à l'adaptation à la société industrielle qui s'impose à toute l'Europe, il s'intéresse à la condition ouvrière en abordant cette question dans son encyclique *Rerum Novarum* (1891), dans laquelle il se déclare adversaire du socialisme et de la théorie de la lutte des classes. Pour lui, l'homme ne trouvera son salut que dans son épanouissement dans la famille. S'il réduisit la question ouvrière à une question de morale chrétienne, il fut néanmoins le premier pape à aborder les problèmes sociaux. Sur le plan politique, il réussit à obtenir l'abandon par Bismarck du Kulturkampf anticatholique. Il empêcha également le développement de partis catholiques dans les régimes républicains, en particulier en France. Sa disparition en 1903 – malgré le raidissement de ses positions à la fin de son règne – suscita une émotion considérable. Le prestige de la papauté était rétabli. (Règne : 25 ans et 5 mois.)

PIE X (SAINT)

Giuseppe Sarto
4.8.1903 - 20.8.1914
✴ Riese 1835 - ✝ Rome 1914

Issu d'une famille modeste, cardinal en 1894, il hésita avant d'accepter la couronne de saint Pierre. Il est depuis plusieurs siècles le premier pape à ne pas avoir servi dans la diplomatie vaticane mais assuré une activité pastorale comme évêque de Venise. Il s'attacha à améliorer le fonctionnement de l'Église et de la pastorale : il transforma radicalement la Curie romaine et initia la modification du droit canon. Il réorganisa également la formation des prêtres et réserva à Rome la nomination des supérieurs des écoles religieuses. Il créa une commission qui mit au point un catéchisme destiné à être diffusé dans le monde entier (Catéchisme dit de Pie X). Il poursuivit la politique de condamnation des catholiques italiens qui voulaient participer à la vie politique de leur pays. Il condamna également le Sillon de Marc Sangnier. Il se fit l'adversaire déclaré du modernisme qu'il qualifia d'hérésie. (Règne : 11 ans et quinze jours.)

BENOÎT XV

Giacomo Della Chiesa
3.9.1914 - 22.1.1922
✳ Gênes 1854 - ✝ Rome 1922

Issu d'une très ancienne famille lombarde, cardinal en 1914, rompu aux affaires diplomatiques, il dut affronter le premier conflit mondial. Il dénonce la guerre, fruit empoisonné du matérialisme, et propose comme terrain de la paix l'institution d'une procédure internationale d'arbitrage capable de rétablir la «force suprême du droit». Sa principale contribution date du 1er août 1917 avec son message de paix adressé aux belligérants (« Dès le début»). Il développa une action concrète au profit des prisonniers de guerre. Il invita l'Église à promouvoir des actions de dévotion internationale au profit de la paix. Il ne réussit toutefois pas à imposer l'idée de paix, mais il assura la présence du Vatican à l'initiative ou au centre des différentes négociations secrètes entre les différents belligérants. Sur le plan ecclésiastique il publia officiellement le fruit des travaux de son prédécesseur sur la codification du droit canon. Il développa également l'activité de l'Église en dehors de l'Europe, en Orient, en Afrique, il tenta de séparer l'activité des religieux de celle des milieux coloniaux et poursuivit l'œuvre de

dévotion envers le Sacré-Cœur, la Sainte-Famille, le rosaire et la Vierge des Douleurs, de la Paix. Il soutint et signa la canonisation de Jeanne d'Arc, en 1920. (Règne : 7 ans et 3 mois et demi.)

PIE XI

Achille Ratti
6.2.1922 - 10.2.1939
✳ Desio 1857 - ✝ Rome 1939

Fils d'un entrepreneur textile, franciscain, prêtre en 1879, il devient visiteur apostolique en Pologne en 1918 où il reste jusqu'en 1921 comme nonce apostolique. Il y surveille la reconstitution de l'Église dans un pays qui connaît une renaissance nationale. Cardinal en 1921, il est élu au 14e tour de scrutin. avec le soutien des cardinaux les plus libéraux au détriment des candidats conservateurs. Alpiniste, ferme, dur au travail, studieux, colérique, apte au commandement, c'est également une personnalité mystique, plein de dévotion pour sainte Thérèse de Lisieux. Intellectuel, il est l'auteur, avant d'être pape, de nombreux ouvrages à caractère historique. Son action ecclésiale est marquée par la canonisation de plusieurs religieuses et religieux à caractère mystique comme Thérèse de Lisieux ou Bernadette Soubirous de Lourdes. Il a également voulu inciter les catholiques à agir, d'où la création, selon les pays, de l'Action catholique qui s'exerce aussi bien en Europe qu'outremer. Il réfute les discours extrémistes comme celui, en France, de l'Action française de Charles Maurras qu'il condamne (1926). L'intervention de l'Église se fait directement dans la société à travers la presse : l'*Osservatore Romano*, est le seul journal libre sous le fascisme… Sur le plan social, il réitère la problématique de Léon XIII vis-à-vis de la classe ouvrière en 1931 dans son encyclique *Quadragesimo anno*. Sur le plan diplomatique, il développe une politique de conciliation avec le gouvernement de Mussolini pour obtenir la reconnaissance du Vatican comme État de droit international (accords du Latran, en 1929). Vis-à-vis de l'Allemagne, il tente de signer des concordats avec les Länder catholiques durant les années 1920. Il accepte toutefois de signer

avec Hitler un concordat portant sur toute l'Allemagne en juillet 1933. Cela n'empêcha pas le dictateur nazi de prendre des mesures anticatholiques au point que les relations se dégradèrent très vite. Cette attitude prudente face à l'Allemagne se nourrit d'un antibolchevisme viscéral : dans l'encyclique *Divini Redemptoris*, il qualifie le communisme athée d' «intrinsèquement pervers». La guerre civile espagnole le place dans une situation difficile : en désaccord avec les prélats espagnols qui appellent à la croisade, il ne veut pas condamner la République même s'il y dénonce la présence des communistes et des anarchistes. Lorsque la victoire ne fait plus de doute en 1938, il lève ses réticences et reconnaît le régime de Burgos (Franco). Son attitude envers l'Allemagne est plus claire à partir de 1937 avec l'encyclique *Mit brennender Sorge*, qu'il fait lire dans toutes les églises allemandes et dans laquelle il dénonce sans le nommer un régime qui diffuse des idées racistes et païennes. Sa disparition à la veille de la Seconde Guerre mondiale a été ressenti douloureusement. (Règne : 17 ans.)

PIE XII

Eugenio Pacelli
2.3.1939 - 9.10.1958
✳ Rome 1876 - ✝ Castelgandolfo 1958

Appartenant à des milieux proches du Vatican, de petite noblesse, prêtre en 1899, juriste de formation, il fait sa carrière dans la diplomatie vaticane. Nonce apostolique en Bavière depuis 1917, puis à Berlin après avoir renoué les relations diplomatiques avec l'Allemagne en 1920, il est nommé cardinal en 1929 et devient le deuxième personnage du Vatican par son élévation à la secrétairerie d'État la même année. Il fut élu très rapidement pape dès le 3e tour de scrutin en moins de 24 heures. Personnalité de grande envergure, il exerça le pouvoir de manière très centralisée, plus particulièrement à partir de 1944, après la mort du cardinal Tardini dont il avait fait son secrétaire d'État à son élection. Pendant la Seconde Guerre mondiale, la diplomatie vaticane eut très peu d'activités, le Saint-Siège étant isolé et maintenant une position impartiale vis-à-vis de tous les pays engagés dans le conflit. La non-condamnation durant le conflit des atrocités nazies à l'encontre des juifs lui sera imputée et violemment reprochée dans les années 1960 et 1970. Après le conflit, Pie XII se charge en personne de redonner vitalité à la fonction papale : nombreuses interventions dans les médias ; initiatives mobilisatrices comme l'année sainte en 1950 au cours de laquelle il proclame le dogme de l'Assomption de la Vierge Marie ou l'année mariale en 1954. La période de la guerre froide fut marquée par la rupture des relations avec l'URSS et le monde communiste qui avait conquis la moitié orientale de l'Europe : en 1952, fermeture de la dernière légation dans cette partie du monde, en Yougoslavie. En 1949, Pie XII excommunie les communistes. À l'Ouest, qu'il soumit également à des critiques virulentes, il soutint l'organisation de partis catholiques ; mais il mit rapidement fin, dès 1954, à l'expérience des prêtres-ouvriers. Il chercha à éviter l'isolement de l'Espagne franquiste. Devant le développement du mouvement de décolonisation, il s'attacha à préparer la constitution de nouvelles églises nationales et porta une attention soutenue au développement des structures ecclésiales en Amérique du Sud (assemblée de Rio de Janeiro, en 1950). (Règne : 19 ans et 7 mois.)

JEAN XXIII

Angelo Giuseppe Roncalli
20.10.1958 - 3.6.1963
✳ Sotto il Monte 1881 - ✝ Rome 1963

Issu d'une famille paysanne pauvre des environs de Bergame, prêtre en 1904, envoyé par Pie XII en Bulgarie (1924-1935), puis en Grèce (1935-1944), il est nommé à Paris en 1945. Patriarche de Venise en 1953, il fut élu pape à un âge avancé (77 ans), témoignant ainsi que les pères conciliaires ont vu en lui un pape de transition (trois jours de conclave), n'ayant pas pu élire celui qu'ils considéraient comme l'héritier de Pie XII, l'archevêque de Milan, Giovanni Battista Montini (futur Paul VI) qui n'était pas encore cardinal. Immédiatement, Jean XXIII abandonna les méthodes autocratiques de

son prédécesseur : nomination d'un secrétaire d'État, rétablissement des audiences de travail ; activité pastorale à Rome même. Le nouveau pape ne se veut pas homme d'État, mais pasteur des âmes. Sur le plan politique, il confirma l'indépendance de l'Église par rapport aux choix de société des fidèles et renoua des relations avec le communisme (visite du gendre de Khrouchtchev à Rome en 1963). Ayant vécu de nombreuses années dans des pays non catholiques, mais orthodoxes et proches de l'aire musulmane, il ressentit avec force l'exigence d'œcuménisme et d'union des Églises. Il poursuivit sa politique d'»aggiornamento» en décidant de convoquer le concile de Vatican II qu'il annonça en janvier 1959. Le « bon pape Jean », pape des pauvres suivit la première session de septembre à décembre 1962, mais affaibli par un cancer, mourut en juin, non sans avoir publié son texte fondamental, en avril, l'encyclique *Pacem in terris* qu'il adressa à tous les hommes de bonne volonté. (Règne : 4 ans et 7 mois.)

PAUL VI

Giovanni Battista Montini
21.6.1963 - 6.8.1978
✳ Concesio 1897 - ✝ Castelgandolfo 1978

Issu d'une famille de notables de Brescia, prêtre en 1920, après des études supérieures à Rome est envoyé à la nonciature de Varsovie pour une courte période en 1923. Responsable des étudiants catholiques italiens sous le fascisme, proche du secrétaire d'État Tardini, il est nommé archevêque de Milan en 1954. Cardinal en 1958, il est l'un des principaux organisateurs de Vatican II. Élu pape au 6e tour de scrutin, il prolonge l'action de son prédécesseur. Moins charismatique et moins populaire, il n'en garde pas moins la même simplicité. Il développa certaines initiatives qui furent reprises par Jean-Paul II de manière plus systématique comme les voyages apostoliques à travers le monde. Il fut le premier pape – et le premier chef d'Église – à s'adresser au monde depuis la tribune des Nations unies (discours du 5 octobre 1965). Continuateur d'un concile parfois tumultueux (fin des travaux en décembre 1965), Paul VI put mesurer le

chemin accompli au nom de la volonté d'»aggiornamento» : un dialogue renouvelé entre les Églises, des débats riches, une série de propositions que plusieurs textes vont ériger en nouvelles consignes pratiques (catéchisme renouvelé, liturgie en langue nationale, rite des offices, etc.). Mais le pontificat de Paul VI s'achève sur une nouvelle période, de crise cette fois, à partir de la publication de l'encyclique *Humanae vitae* dans laquelle le pape aborde le thème de la sexualité (condamnation de la contraception). Tranchant avec la dynamique conciliaire, ce texte ouvre une période de polémiques sans fin : la notion de «crise de l'Église» fait alors son apparition, dans les années 1970. Le décalage entre Église et société semble s'accroître. L'autorité pontificale est remise en question par certaines églises novatrices (Pays Bas) ainsi que dans les milieux traditionalistes hostiles à Vatican II (Mgr Lefebvre suspendu *a divinis* en juillet 1976). (Règne : 15 ans et 1 mois et demi.)

JEAN-PAUL Ier

Albino Luciani
26.8.1978 - 28.9.1978
✳ Canale d'Agordo 1912 - ✝ Rome 1978

Issu d'un milieu ouvrier, prêtre en 1935, enseignant, il devient patriarche de Venise en 1969 et cardinal en 1973. Élu dès le 4e tour de scrutin, c'est un pasteur que les pères conciliaires choisissent. Pour la première fois, un pape choisit un double prénom, reprenant celui de ses deux prédécesseurs les plus proches et s'inscrit symboliquement dans leur sillage : continuation de Vatican II. Il est mort brutalement d'un infarctus n'ayant pas eu le temps de donner toute sa mesure. (Règne : 1 mois et 2 jours.)

JEAN-PAUL II

Karol Wojtyla
6.10.1978 -
✳ Wadowice 1920 -

Premier pape polonais de l'histoire, premier pape d'origine non italienne depuis Adrien VI (élu en 1522). Il est le 264e pape, c'est-à-dire le 263e successeur de saint Pierre (Étienne II, élu mais non couronné n'étant pas comptabilisé officiellement).

AGGIORNAMENTO

Mot italien signifiant « mise à jour ». Il fut employé par Jean XXIII, à l'occasion du concile de Vatican II, pour exprimer la nécessité de l'adaptation au progrès.

APOSTOLAT

Du latin *apostolus*, « apôtre », l'apostolat est l'activité qui a pour but la diffusion de la foi chrétienne.

On retrouve ce terme dans :

BÉNÉDICTION APOSTOLIQUE : bénédiction donnée par le pape.

CANON APOSTOLIQUE : décret papal.

CHAMBRE APOSTOLIQUE : une des institutions de la Curie romaine, chargée d'administrer les biens du Saint-Siège.

DÉLÉGUÉ APOSTOLIQUE : représentant du Saint-Siège. sans statut diplomatique.

ÉCOLE APOSTOLIQUE : établissement scolaire destiné à la formation de futurs prêtres ou missionnaires.

ÉGLISE APOSTOLIQUE : église fondée par l'un des apôtres.

LETTRE APOSTOLIQUE : adressée aux membres de l'Église. elle émane du pape.

MISSIONNAIRE APOSTOLIQUE : dont les pouvoirs proviennent du Saint-Siège.

SIÈGE APOSTOLIQUE : évêché de Rome.

ARCHEVÊQUE

Évêque présidant une province ecclésiastique.

AUDIENCE

Rencontre publique, place Saint-Pierre ou dans la salle « Aula Paul VI », ou privée, consentie par le pape sur une demande officielle, individuelle ou collective.

BÉNÉDICTION

Du latin *bene*, « bien », et *dicere*, « dire », la bénédiction est un acte sacerdotal qui sanctifie une personne ou une chose, ou qui appelle sur elle la protection de Dieu. Les bénédictions pontificales donnent lieu à une indulgence plénière.

BÉNÉDICTION PAPALE : donnée spécialement par le pape, ou bien en son nom par l'intermédiaire d'un évêque ou d'un prêtre.

BÉNÉDICTION APOSTOLIQUE OCCASIONNELLE : demandée à la secrétairerie d'État à l'occasion d'une manifestation privée (mariage) ou publique (congrès).

BÉNÉDICTION « URBI ET ORBI » : donnée solennellement, *à Rome et au monde*, par le pape depuis la loggia de Saint-Pierre, à l'occasion de certaines fêtes.

BULLE

Acte pontifical, revêtu du sceau papal.

CARDINAL

Du latin *cardo*, « pivot », le cardinal est un membre du Sacré Collège chargé d'élire le pape.

CONCILE

Du latin *concilium*, « assemblée par convocation », le concile rassemble, sur l'instigation du pape, des évêques et des théologiens chargés dans ce cadre de questions doctrinales et de discipline ecclésiastique.

Il existe différentes sortes de conciles :

CONCILE DIOCÉSAIN : voir synode.

CONCILE GÉNÉRAL, PLÉNIER OU ŒCUMÉNIQUE : tous les évêques y sont convoqués.

CONCILE NATIONAL : il réunit les évêques d'un État.

CONCILE PROVINCIAL : il réunit les évêques d'une province ecclésiastique.

CONCLAVE

Du latin *clavis*, « clef », le conclave désigne le lieu fermé où se retirent les cardinaux pour élire le nouveau pape ainsi que l'assemblée des cardinaux. Ces derniers ne doivent pas être plus de 120 et ne pas être âgés de plus de 80 ans. Le conclave se déroule près de la chapelle Sixtine.

CONCORDAT

Du latin *concordare*, « s'accorder », le concordat désigne une convention passée entre le Saint-Siège et un État à population catholique en vue de régler de façon juridique l'organisation ecclésiastique du territoire. Le premier est le concordat de Worms qui, en 1122, mit fin à la querelle des Investitures qui opposait Calixte II à l'empereur Henri V.

CONGRÉGATION

Du latin *congregatio*, « réunion » ou « assemblée », la congrégation est le nom que l'on attribue, en règle générale, à une association de prêtres ou de fidèles, mise sous l'invocation d'un saint, dans un but caritatif. Concernant la cour de Rome, il s'agit d'organismes administratifs de la Curie, au sein desquels siègent les cardinaux (voir p. 65).

CONSÉCRATION

Du latin *consecratio*, la consécration désigne le rituel par lequel une chose (une église, par exemple) ou un individu est affecté au service de Dieu. Chez les catholiques, la consécration est l'instant, où, pendant la messe, le pain et le vin sont convertis en corps et en sang du Christ.

CONSISTOIRE

Du latin *consistorium*, « lieu de réunion », le consistoire est une assemblée de cardinaux romains, réunis sous l'autorité du pape, en des circonstances graves. Au XIIIe siècle, le consistoire romain connut un âge d'or ; il remplaça les synodes, à l'efficacité limitée. Il existe, selon le Code de droit canonique de 1983, deux types de consistoire : les « consistoires ordinaires », qui abordent des questions graves mais relativement courantes, et les « extraordinaires », plus spécifiques.

CURIE

Ensemble des organismes constituant le gouvernement de l'Église (voir p. 64).

DIACRE

Du latin *diaconus* et du grec *diakonos*, « serviteur », le diacre a pour fonction de servir le prêtre à l'autel et de dire l'Évangile. Le diaconat est un échelon pour s'élever au sacerdoce. Il se développe actuellement pour assurer la participation des laïcs.

DIOCÈSE

Du grec *dioikêsis*, « administration », le diocèse est une circonscription ecclésiastique sur laquelle un évêque, en accord avec l'Église romaine, a juridiction.

DOGME

Du latin *dogma*, « opinion, croyance », le dogme est le point essentiel et incontestable d'une doctrine religieuse.

DROIT CANONIQUE

Corpus de lois gouvernant l'Église. Le corpus en vigueur date du 25 janvier 1983.

ENCYCLIQUE

Document écrit par le pape (voir p. 62).

ÉPISCOPAT

Désigne la durée pendant laquelle un évêque occupe sa fonction.

EUCHARISTIE

Du latin *eucharistia*, « action de grâce », désigne le sacrement par lequel se continue le sacrifice du Christ.

ÉVÊQUE

Du latin *episcopus*, « surveillant », l'évêque est celui qui jouit de la plénitude du sacerdoce et du gouvernement d'un diocèse.

LATRAN (ACCORDS DU)

Traité et concordat signés en 1929 entre la papauté et l'Italie par le cardinal secrétaire d'État Pietro Gaspari et Benito Mussolini, qui mirent fin à la « question romaine », c'est-à-dire reconnurent à l'Église un domaine temporel. Les accords garantissent la souveraineté du pape sur le territoire de l'État du Vatican.

MAGISTÈRE

Du latin *magisterium*, « maîtrise », le magistère traduit l'autorité doctrinale, morale ou intellectuelle d'un grand maître.

Le pape a la charge d'interpréter de manière infaillible la doctrine.

NÉPOTISME

Nomination par un pape de membres de sa famille à des postes clés.

ŒCUMÉNISME

Voir définition p. 59.

PRIMAUTÉ

La primauté du pape, définie au concile de Vatican I en 1870, traduit son autorité suprême et son pouvoir de juridiction directe dans tous les diocèses catholiques.

SCHISME

Du latin *schisma* et du grec *skhisma*, « séparation », le schisme signifie la rupture de l'unité de la communion ecclésiale, suite à des désaccords concernant des questions politiques ou doctrinaires.

SIMONIE

Du latin *simonia*, venant du nom de Simon (le magicien), la simonie est le trafic des choses saintes. Elle sévit énormément au Moyen Âge et à la Renaissance, et perdura de manière ponctuelle jusqu'au XIXᵉ siècle.

SÉMINAIRE

En ce qui concerne le domaine ecclésiastique, on en distingue deux sortes ; le grand séminaire, qui est un établissement religieux destiné à la formation des futurs prêtres, et le petit séminaire, où les jeunes garçons n'entrent pas forcément dans la vie religieuse.

SYNCRÉTISME

Étymologiquement, le nom grec *sugkrêtismos* signifie « union des Crétois ». Ce terme désigne, dans le domaine religieux ou philosophique, un schéma intellectuel qui fusionne différentes doctrines ou croyances (ex. cultes modernes en Afrique).

SYNODE

Synonyme de concile, désigne le conseil des évêques convoqué par le pape.

LES VÊTEMENTS LITURGIQUES

AMICT OU HUMÉRAL : voile fin muni de cordons, symbole de la protection céleste que le prêtre porte sur ses épaules pour dire la messe.

AUBE : ce vêtement, descendant jusqu'aux pieds, date des Romains. Son usage s'est généralisé à toutes les liturgies.

CAPE : autrefois surmontée d'un capuchon, la cape est portée par le prêtre lorsqu'il se déplace avec l'ostensoir pendant les processions.

CHASUBLE : appelé *penula* du temps des Romains, ce vêtement sans manches, en étoffe lourde, se porte par-dessus l'aube et est utilisé par le prêtre pour dire la messe. Elle symbolise la charité du Christ. Les couleurs arborées varient selon la cérémonie : le vert pour les dimanches, le blanc pour la fête des saints, du Christ et de la Vierge, le rouge pour les fêtes des martyrs et du Saint-Esprit, le violet pour les pénitences et les deuils.

CORDON : ceinture symbolisant la chasteté.

DALMATIQUE : sur le même principe que la chasuble, mais réservée aux diacres, elle est dotée de manches et fendue sur les côtés.

ÉTOLE : bandeau richement décoré, porté de différentes manières par le diacre, le prêtre et l'évêque. Passée derrière le cou (dans le cas d'un prêtre), elle pend sur le torse des deux côtés et arbore les mêmes couleurs et la même étoffe que la chasuble.

MITRE : bonnet diadème haut, réservé à l'évêque, comprenant deux bandes d'un large ruban pendant dans le dos, qui représentent l'Ancien et le Nouveau Testament.

PALLIUM : étroite bande de laine ornée de petites croix, signe du pouvoir pontifical. Il est conféré par le pape aux archevêques.

SOUTANE : longue robe noire, blanche chez les missionnaires, rouge pour les cardinaux, violette pour les évêques et le pape, en privé comme à l'extérieur. De nos jours, ce vêtement est remplacé par le port d'une petite croix sur le col du costume civil.

SURPLIS : tunique de toile fine et blanche à manches longues portée par les ecclésiastiques qui n'officient pas au cours des offices. Aujourd'hui, elle est remplacée par l'aube.

TIARE : haute coiffure portée par le pontife, de couleur blanche et décorée de trois couronnes symbolisant ses pouvoirs spirituels et temporels. Elle fut supprimée par le pape Paul VI.

Crédits photographiques

DIAF : 78(h, © J.-P. Langeland), 81(h, © J.-P. Langeland), 82(h, © J.-P. Langeland).

Explorer : 12, 17, 18, 23, 26-27, 79(g), 80(© Thomas A.).

Gamma : 13, 14(d); 15; 38, 39, 40, 41 (d), 48, 55, 68, 69, 74-75.

Giraudon : 92.

Keystone : 16; 19, 20, 30.

Magnum : 66(g), 66(d), 67, 76, 78(bg), 79(d), 83, 91, 93, 94, 95.

Magnum Distribution : 67(© Fred Mayer).

Magnum Photos : 66(d), 83.

Scala : 84, 85, 86-87, 88, 89.

Sipa Presse : 14(g), 90

Sygma : Couverture 1, couverture 4 (© Fabian), pages 1, 3, 4, 6, 8, 10, 25, 29 (© James Anderson), 31 (© Henri Bureau), 32, 33, 34-35 (© Fabian), 36-37, 41 (d, © Franco Origlia), 42, 44-45 (© Henri Bureau), 46 (© Fabian), 49 (© Goldberg), 50 (© Fabian), 51, 52, 53 (© J. Pavlovsky), 57, 58, 60, 61, 62, 70-71, 72, 96, 104, 107.

Bibliographie sélective

Chélini, Jean *La Vie quotidienne au Vatican sous Jean-Paul II*, Paris, Hachette, 1985.

Chélini, Jean *Jean-Paul II, pèlerin de la liberté*, Paris, Jean Goujon, 1979.

Chiovaro Francesco, Bessière Gérard *Urbi et Orbi. Deux mille ans de papauté*, Paris, Découvertes Gallimard, 1995

Giansanti Gianni *Jean-Paul II, portrait d'un pape*, Paris, Gründ, 1996.

Levillain Philippe (sous la direction de) *Dictionnaire historique de la Papauté*, Paris, Fayard, 1994.

Trasatti Sergio, Mari Arturo *Voyage dans la souffrance, Cent jours de Jean Paul II* (13 mai - 16 août 1981), EOS Verlag Erzabtei St. Ottilien, 1982.

Vircondelet, Alain *Jean-Paul II*, Paris, Julliard, 1994.